Éditions Druide
1435, rue Saint-Alexandre, bureau 1040
Montréal (Québec) H3A 2G4
www.editionsdruide.com

GRIMOIRES

Collection dirigée par
Anne-Marie Villeneuve

DU MÊME AUTEUR

« Les cocos », dans *Treize à table*, recueil de nouvelles sous la dir. de Chrystine Brouillet et Geneviève Lefebvre, Druide, 2018.

Lilie, Tome 1 – L'apprentie parfaite, roman, Druide, 2018.

« Le djihad félin du Petit Champlain », dans *Comme chiens et chats*, recueil de nouvelles, Stanké, 2016.

« L'homme est un loup pour l'homme », dans *Sous la ceinture – Unis pour vaincre la culture du viol*, recueil de nouvelles, Québec Amérique, 2016.

Parce que tout me ramène à toi, roman, Druide, 2015.

À cause des garçons, roman, Druide, 2013.

LILIE
2 - L'APPRENTIE AMOUREUSE

Catalogage avant publication de Bibliothèque et Archives nationales du Québec et Bibliothèque et Archives Canada

Larochelle, Samuel, 1986-, auteur
Lilie : roman / Samuel Larochelle.
(Grimoires)
Sommaire : tome 2. L'apprentie amoureuse.
Public cible : Pour les jeunes de 13 ans et plus.

ISBN 978-2-89711-417-6 (vol. 2)
I. Larochelle, Samuel, 1986- . Apprentie amoureuse. II. Titre.
III. Collection : Grimoires.
PS8623.A762L54 2018 jC843'.6 C2017-941958-7
PS9623.A762L54 2018

Direction littéraire : Anne-Marie Villeneuve
Édition : Luc Roberge et Anne-Marie Villeneuve
Assistance à l'édition : Elisanne Crevier
Révision linguistique : Lyne Roy et Isabelle Chartrand-Delorme
Assistance à la révision linguistique : Antidote 9
Maquette intérieure : Anne Tremblay
Mise en pages et versions numériques : Studio C1C4
Œuvre en page couverture : ©Maria_Galybina/Shutterstock.com
Conception graphique de la couverture : Gianni Caccia
Photographies de l'auteur : Maxyme G. Delisle
Diffusion : Druide informatique

Les Éditions Druide remercient le Conseil des arts du Canada et la SODEC de leur soutien.
Gouvernement du Québec — Programme de crédit d'impôt pour l'édition de livres — Gestion SODEC.
Ce projet a été rendu possible en partie grâce au gouvernement du Canada.

Canada

ISBN PAPIER : 978-2-89711-417-6
ISBN EPUB : 978-2-89711-418-3
ISBN PDF : 978-2-89711-419-0

Éditions Druide inc.
1435, rue Saint-Alexandre, bureau 1040
Montréal (Québec) H3A 2G4
Téléphone : 514-484-4998

Dépôt légal : 4e trimestre 2018
Bibliothèque et Archives nationales du Québec
Bibliothèque et Archives Canada

Imprimé au Canada

Samuel Larochelle

LILIE

2 - L'APPRENTIE AMOUREUSE

Roman

Druide

1

23 décembre 2005

Alexis Séguin se tenait devant moi, les yeux chargés d'étincelles et de doutes, tentant de déchiffrer ce qui se tramait dans mon esprit, alors que j'avais moi-même du mal à y mettre de l'ordre.

— C'était… bien? demanda-t-il trois secondes après avoir décollé ses lèvres des miennes.

J'ai souri timidement.

— Je pense qu'on va devoir trouver mieux que ça pour décrire ce qui vient de se passer.

Je me félicitais mentalement de lui avoir réservé mon premier baiser à vie, plutôt que d'avoir tenté le coup avec un morveux au primaire ou d'avoir participé à un jeu idiot me forçant à embrasser quelqu'un qui ne m'attirait pas du tout dans un party de sous-sol.

— J'attends vos suggestions, madame.

J'ai songé au film *Love Actually,* lorsque la vieille fille embrasse le gars trop beau pour être vrai : après leur premier bouche-à-bouche dans l'entrée, elle monte à l'étage pour s'extasier en silence. À mon tour, je ressentais une joie impossible à réprimer. Mon enclos à papillons débordait de bestioles qui chatouillaient ma cage thoracique du bout des ailes.

— Je peux réessayer avant de donner mon verdict ? dis-je en voyant une fossette se creuser dans sa joue gauche.

Il a fait disparaître la distance qui nous séparait. J'ai posé mes doigts sur ses joues encore rougies par le vent. Je ressentais le besoin de le toucher, d'immobiliser son visage, de vérifier que ce qui nous arrivait n'était pas le fruit de mon imagination. Et… de me concentrer. Puisque mon vocabulaire affectueux se limitait deux minutes plus tôt aux bisous sur les joues, j'essayais de combler mon inexpérience en m'appliquant.

Perfectionniste jusque dans les baisers…

Après des mois à me préparer pour une compétition musicale, j'étais convaincue qu'Alexis ne verrait rien de mal à devenir mon nouvel instrument de répétition. Graduellement, j'ai tenté de me détendre, d'assouplir mes lèvres et d'explorer les siennes. Après trois minutes, j'ai déposé mes talons - que je suspendais dans le vide pour atteindre sa belle face vertigineusement haute - et je lui ai donné mon appréciation :

— Je sais pas pourquoi j'ai pas fait ça plus tôt !

— T'étais trop occupée pour voir que j'avais du potentiel, lança Alexis, pince-sans-rire.

— De quoi tu parles ? J'ai envie de t'embrasser depuis que tu m'as demandé mon numéro…

Je faisais preuve d'une absence de retenue qui me surprenait moi-même.

— En tout cas, ça valait la peine d'être patient ! répliqua-t-il. Je vais enfin pouvoir jeter le calendrier sur lequel j'ai fait des « X » pour chaque jour que j'ai attendu…

J'ai hésité une seconde de trop avant de réaliser qu'il me faisait marcher.

— T'es tellement niaiseux ! Mais t'es beau, alors ça compense.

— Es-tu en train de me dire que si je prenais soixante-quinze kilos et que je perdais, genre, trois dents, tu m'aurais pas sauté dessus ?

J'ai levé les yeux au ciel.

— Regarde l'autre qui s'aime trop !

Il m'a donné une légère tape sur le bras gauche.

— Tu le sais que je déconne !

Le contact de sa peau sur la mienne me troublait.

— Il y a toujours un fond de vérité derrière chaque blague, ripostai-je avec un air faussement malin.

Il a réfléchi avant de me relancer.

— Peut-être, mais ma mère m'a toujours dit de jamais écouter ceux qui pensent qu'on peut trop s'aimer. Alors, tu m'excuseras, mais je suis obligé de faire ça…

Il a tenté de boucher ses oreilles en faisant des « lalala » sans la moindre gêne, même s'il était chez moi. Rapidement, j'ai décollé ses doigts pour obtenir son attention.

— Je pense que t'es assez charmeur pour donner envie à n'importe qui de t'embrasser…, rétorquai-je. Mais t'es pas obligé de vérifier ma théorie ! Pis viens pas me dire « ouh la la, madame est jalouse » ! Je voulais juste te faire comprendre que… que j'avais vraiment le goût. C'est tout.

Mon ton était soudainement sérieux.

— Message reçu, mon capitaine ! Je suis seulement content qu'on se parle. Ça fait deux semaines que tu passes en coup de vent dans les couloirs de la poly. Et avant, t'étais à Vancouver…

Mon cœur s'est crispé.

— Parlant de ça, ajouta-t-il, comment ça s'est passé ?

Reste calme, Lilie. C'est pas le temps de lui sauter au visage, comme t'as fait avec Émile !

— Pas super bien…, répondis-je en regardant le tapis. J'ai pas gagné.

Ma réponse évasive ne lui suffisait pas.

— OK. Mais es-tu fière de toi ?

Comment expliquer ce qui m'était arrivé à quelqu'un qui ne connaissait pas mon besoin d'être la meilleure ?

— Je pense que…

Au même instant, mon frère Jonathan a surgi du sous-sol.

— Il me semblait que j'avais reconnu ta voix ! dit mon aîné à Alexis.

Son intervention était aussi inespérée que l'arrivée d'un superhéros, genre Spiderman surgissant de nulle part pour empêcher une femme de tomber du trente-quatrième étage d'un immeuble en flammes. Un gratte-ciel aussi gros que mon échec musical.

— Hey salut ! répondit Alexis.

Il s'est soudain rappelé qu'il était chez nous d'abord pour jouer au hockey avec mes frères.

— Je vais chercher mes affaires, pis je m'en viens, dit Jo avant de crier à notre cadet Jérémie de se dépêcher.

— On se reparlera de ta compé la prochaine fois, suggéra Alexis.

Son enthousiasme contrastait avec mon désir d'approfondir le sujet.

— Peut-être…

L'éclat au fond de ses yeux est disparu d'un coup.

— Tu veux pas qu'on se revoie…

— Ben non, grand niaiseux ! répliquai-je en faussant un sourire pour le rassurer. C'est juste que j'aime pas parler de ce qui s'est passé à Vancouver.

J'ai senti son soulagement me traverser de bord en bord.

— Fiou… Je veux surtout pas te mettre de la pression. Tu m'en parleras quand tu seras prête.

Malgré sa douceur, quelque chose de rugueux effritait la beauté de ce qui venait de se passer. Alexis n'avait aucune idée qu'il pénétrait dans un terrain miné : j'étais incapable de gérer mes émotions quand je repensais à la dernière journée où j'avais tenu ma flûte traversière. Chaque fois que je replongeais dans mes souvenirs, je réalisais que, sans la musique dans ma vie, je ne valais presque plus rien…

2

Une part de moi rêvait de se rouler en boule sous les draps, mais puisque j'avais déjà consacré trop de journées à la déprime depuis mon retour de l'Ouest canadien, je me suis rendue chez mon voisin Émile pour lui raconter ce qui venait de m'arriver.

— Entre ! dit mon ami avant de repartir vers la cuisine. Je fais des guimauveries. Il faut que je les sorte du four !

Cet amas de chocolat, de guimauves et de gras était l'un des desserts les plus décadents que je connaissais.

— Mile, j'ai quelque chose à te dire…

Il m'a regardée les yeux dans la graisse de bines, enivré par les effluves chocolatés.

— Oh mon Dieu ! m'exclamai-je. On dirait que t'as fumé un joint !

Chose qu'il n'avait cependant jamais faite, parce que, et je cite : « Je suis ben assez intense de même ! »

— Clara m'a dit la même chose la semaine passée, quand j'ai bu une *slush* en quatre gorgées. Mon *rush* de sucre était tellement fort que je suis sorti me pitcher dans la neige !

Émile racontait sa soirée en ajoutant une abondance de gestes et d'expressions faciales, revivant chaque moment avec une extase qui le divertissait lui-même.

— Et là, ajouta mon ami, elle a dit que le monde devait être convaincu que j'avais pris de la drogue… pis qu'elle avait peur du jour où j'essaierais, parce que j'allais probablement exploser !

Clara Dagenais, la seule autre personne avec qui Émile s'était lié d'amitié. Depuis qu'il me l'avait présentée, au printemps dernier, je n'avais pas réussi à voir ce qu'il lui trouvait.

— Émile…, repris-je en marquant une pause. Alexis et moi, on s'est embrassés !

— Quoi ! ? ! Quand ça ?

— On vient juste. Il est venu voir mes frères. On a jasé un peu. Et je pouvais pus me retenir !

— C'est toi qui as fait le premier pas ?

Son visage exprimait un mélange de fierté et d'excitation.

— J'aurais pas dû ?

Je doutais soudainement de mon élan.

— Au contraire ! Je me disais juste que t'oserais jamais, vu que c'était ton premier…

Je m'étais lancée sans hésiter, comme si une force m'avait confirmé qu'Alexis en avait envie aussi.

— Je sais ! Je pense même que j'ai bien fait ça !

Après des années à imaginer comment se déroulerait mon premier baiser, à analyser ce que les acteurs faisaient à la télé et à me demander pourquoi ils bougeaient beaucoup moins les lèvres que les couples à l'école, mon tour était enfin arrivé !

— On dirait que je savais quoi faire, ajoutai-je. Je me suis approchée lentement et j'ai tourné un peu le visage vers la droite pour pas que nos nez s'accrochent. Il a avancé la lèvre du bas un peu pour englober une partie de la mienne. Pis là, je sais pas pourquoi, mais ça s'est enchaîné tout seul. J'avais l'impression de sentir son énergie… Je me suis jamais demandé si j'étais bonne. Et j'ai pas trop capoté. C'était l'fun !

Émile m'écoutait avec une attention de tous les instants, vivant par procuration ce qu'il n'avait jamais expérimenté. Je savais qu'il n'y aurait jamais trop d'informations dans mon anecdote.

— Est-ce que ça veut dire que… vous êtes officiellement un couple ?

— Je sais pas ! Je pense pas…

— Ben là, t'as mis ta langue dans sa bouche !

— On n'a pas frenché ! répliquai-je sur la défensive. Il fallait ?

Alexis voulait-il plus ? Était-il déçu ? Avait-il caché ce qu'il pensait ? M'avait-il menti ?

— Non, non ! rattrapa Émile. Si c'est tout ce que ça prend pour être en relation, y a pas mal de couples qui s'ignorent à l'école ! C'est correct, si vous vous êtes pas encore liché les amygdales !

— J'avais jamais vu ça de même…

— Bienvenue dans le vrai monde ! *Anyways*, t'étais tellement dans ta bulle avant que tu dois même pas savoir qui frenche qui.

J'étais effectivement déconnectée des potins de la polyvalente. Un peu de rattrapage s'imposait.

— Alexis…, marmonnai-je en fixant le sol, l'as-tu déjà vu avec une fille ?

— Jamais. On dirait que sa vie se résume à l'école, à son sac de sport et au temps qu'il perd à te regarder !

Sa réponse me rassurait.

— Il s'entraîne tous les midis dans le gymnase, précisa Émile. Il jase souvent avec Jonathan et ses amis, mais il a pas de gang à lui encore. Veux-tu que je fasse une enquête ?

Ma curiosité a voulu hurler son approbation, mais mon envie de le découvrir tranquillement a pris le dessus.

— Ça va être correct ! Je vais m'en occuper moi-même.

— En tout cas, il est mieux d'être gentil, ton futur *lover*. Sinon, je vais m'inventer des muscles pour lui faire peur !

— Appelle-le pas comme ça !

J'étais trop occupée à imaginer le début probable de mon premier couple pour rire de ses niaiseries. J'avais peur que ses paroles bousillent le futur, et que l'univers me prive de ce que je désirais désormais le plus fort: devenir la copine d'Alexis Séguin.

: :

Son visage apparaissait dans ma tête comme une lumière stroboscopique: des flashs à répétition qui donnent le tournis. Je revoyais ses lèvres – plus volumineuses que celles de la moyenne des garçons d'ici, comme s'il avait des gènes étrangers –, son nez un peu croche que je trouvais craquant et ses longs cils que j'avais observés rapidement en ouvrant les yeux pendant notre deuxième baiser.

Ouf!

Plus j'y pensais, plus je voulais le revoir. Depuis qu'il m'avait abordée en septembre, nous avions passé tout au plus quinze minutes ensemble, dont quatre avaient été consacrées à tester la compatibilité de nos bouches.

Un premier rendez-vous s'impose.

Malheureusement, nous étions en plein congé des fêtes et j'ignorais où il habitait. J'ai donc fait appel à Jonathan pour obtenir son numéro.

Comprendre ici: officialiser mon intérêt pour son ami, plutôt que d'attendre de voir si les choses évoluaient positivement.

Comprendre ici: risquer que Jo utilise cette information à son avantage pour rire de moi ou je ne sais trop.

Comprendre ici: déranger sa session de *necking*-beaucoup-trop-intense avec Sarah-Maude au sous-sol.

J'ai simulé un bruit de toux à mi-chemin dans l'escalier pour les avertir de mon arrivée.

— Allô vous deux! Je vous dérangerai vraiment pas longtemps, mais je…

— Tu déranges pas, Lilie, voyons, répondit Sarah-Maude en replaçant subtilement le col de son chemisier.

Jonathan ne partageait pas le même avis.

— Écoute-la pas! répliqua-t-il avec un sourire dans la voix. Il reste même pas vingt minutes avant que maman revienne de ses commissions et qu'elle nous achale toutes les cinq minutes…

Notre mère était particulièrement zélée quand venait le temps de déranger ses amours. Je me demandais parfois si elle craignait qu'en leur laissant trop de latitude, ils aient assez d'intimité pour avoir des relations sexuelles et… qu'un bébé soit conçu sans le vouloir. Le choc qu'elle avait encaissé en devenant mère et décrocheuse à dix-huit ans semblait si frais à sa mémoire qu'elle exagérait la surveillance de son grand garçon.

— Alors, aide-moi et je vais débarrasser le plancher. Je veux appeler Alexis, sauf que j'ai pas son numéro…

Un éclair de malice est apparu dans les yeux de mon frère.

— C'est confidentiel, ces choses-là, dit Jo sous le regard désapprobateur de Sarah-Maude. Peut-être qu'Alex veut pas que je transmette son téléphone à n'importe qui. Pis, je le sais pas, moi, si ma petite sœur est une psychopathe qui va l'appeler sans arrêt, faire des recherches pour trouver sa maison et planter une tente sous sa fenêtre jusqu'à ce qu'il lui donne de l'attention…

J'aurais pu réagir au fait qu'il m'avait incluse dans la catégorie des « n'importe qui » ou qu'il m'avait presque comparée à une folle finie, mais mon cerveau se focalisait sur un autre détail : il l'avait surnommé « Alex ». Jonathan le connaissait suffisamment pour utiliser un surnom. Il était plus que temps de rattraper mon retard.

— Jo ! intervint sa blonde. Plus tu niaises ta sœur, moins tu m'embrasses.

Sage jeune fille. Sage, sage jeune fille.

— OK…, concéda-t-il, déçu de voir ses idioties freinées. Je te donne son numéro à une condition : la prochaine fois que les parents sortent toute une soirée, t'invites Émile en leur disant qu'on va se faire un party cinéma, tu t'arranges pour choisir un film que Jérémie va vouloir regarder, pis tu nous laisses aller dans ma chambre sans dire un mot.

— Coudonc ! m'exclamai-je. Avais-tu déjà pensé à ça ou tu viens de tout inventer ?

Il me regardait l'air de dire : « Qu'est-ce que t'en penses ? »

— OK, j'embarque ! répondis-je.

Après avoir noté le numéro des Séguin, je me suis réfugiée dans ma chambre. J'ai appuyé sur chaque touche du téléphone en sentant la nervosité me gagner. Après trois – longues – sonneries, une voix de monsieur a répondu.

— Oui, allô ?

Probablement son père.

— Allô. Est-ce que je peux parler à Alexis ?

— Un instant.

La voix grave s'est éloignée du combiné : « Alex ! Téléphone ! Je pense que c'est ta blonde ! » J'ai avalé ma salive de travers. Je ne pouvais pas croire qu'il avait parlé de moi à sa famille. Une seconde plus tard, une voix adolescente lui a répondu : « Qui ça ? » Son père a poursuivi : « Je sais plus comment elle s'appelle… Marie-Ève ou Marie-Andrée ? » J'ai raccroché sur-le-champ. Alexis voyait une autre fille. Alexis m'avait embrassée, alors qu'il était en couple. Alexis était à des années-lumière du garçon irrésistible que j'imaginais !

J'essayais de calmer ma déception, mais j'ai vite compris que j'avais moi-même dégoupillé la grenade qui venait d'exploser dans mon oreille : j'avais trop attendu. Je m'étais permis de repousser ses avances il y a trois mois, obnubilée par le concours de musique où j'avais déçu tout le monde. Des heures de travail, de sueur et d'angoisse qui ne s'étaient pas transformées en stage en Europe, et qui m'avaient fait passer à côté du seul gars intéressant de Matane.

À l'exception d'Émile, à l'époque où j'envisageais que nous puissions devenir autre chose que des amis…

La sonnerie du téléphone a interrompu mes pensées. Du coin de l'œil, j'ai vu « Normand Séguin » sur l'afficheur. J'ai caché l'appareil sous mes oreillers, décidée à ne plus lui parler. Malheureusement, Jo a répondu au sous-sol.

— Lilie, c'est Alex !

Je refusais de répondre. J'ai enfilé mon manteau et mes bottes en vitesse, et je suis allée marcher sur la plage. L'idée d'affronter l'humidité glaciale de la fin décembre me semblait plus réjouissante que d'entendre ce qu'il voulait me raconter. J'ai franchi une trentaine de mètres avant de poser mes fesses, mon dos, ma tête et tout ce qu'elle contenait sur la neige. Je fixais le soleil en ne sachant plus si les larmes qui coulaient sur mes joues étaient le résultat de l'éblouissement, de la tristesse ou du découragement d'être à nouveau déprimée. Je ne pouvais pas croire que la vie venait de me faire un nouveau croche-pied. Plus de deux semaines après Vancouver, je pensais pourtant avoir retrouvé un peu de légèreté. J'avais tout faux. Encore.

— Lilie...

La voix que je redoutais se mêlait aux bruits de la mer et du vent. Alexis s'est assis à mes côtés.

— Qu'est-ce qui se passe ? demanda-t-il.

J'ai chargé mon regard de noirceur pour souligner la maladresse de sa question.

— Pour vrai, ajouta-t-il, Jo m'a dit que t'étais sortie et que t'avais l'air à l'envers. Je comprends pas...

— Tu demanderas à Marie-Ève-Claude de t'expliquer, ripostai-je, passive-agressive.

Il a écarquillé les yeux, le temps d'interpréter ce qu'il venait d'entendre.

— T'imagines quoi, là ?

Son choix de verbe laissait sous-entendre que je n'avais pas entendu son père parler de sa blonde.

— Rien. J'ai juste été conne de vivre mon premier baiser avec un gars comme toi.

— T'es sérieuse ? dit-il en ayant du mal à refréner un sourire. Je suis ton premier ?

Je me suis poussée d'un demi-mètre pour voir s'il se foutait de ma gueule.

— Aye ! Viens pas faire ton *cute,* après ce qui s'est passé !

— Mais qu'est-ce qui s'est passé ? Mon père a dit n'importe quoi au téléphone. J'ai pas de « petite blonde »...

— Pis la fille, tu vas me dire qu'elle existe pas ?

Je scrutais son visage à la recherche du moindre indice me confirmant sa mauvaise foi.

— Non... C'est juste une fille que j'ai *datée* trois fois, début novembre. Tu peux pas m'en vouloir d'avoir passé du temps avec elle, alors que tu voulais rien savoir de moi !

— Pourquoi ton père pense que c'est ta copine ?

Il se retenait pour ne pas rire.

— Parce que c'est un monsieur de cinquante-deux ans qui fait pas la différence entre une amoureuse, une fréquentation, une *date* ou une fille avec qui tu passes du temps sans que ça veuille rien dire.

Je n'étais pas prête à laisser tomber ma garde.

— Pis Marie-Chose, elle a quelle étiquette ?

— Celle d'une fille que j'ai vue juste assez pour confirmer qu'elle m'intéressait pas.

Le poids du monde est tombé de mes épaules.

— On s'est même pas embrassés ! précisa-t-il pour me convaincre de ses bonnes intentions.

Je me sentais honteuse.

— Fac, t'es pas vraiment un menteur qui m'a embrassée même si t'étais en couple ?

— Pas vraiment, non... Pis toi, cet automne, te préparais-tu vraiment pour une compétition de musique ou tu regardais en boucle des *soaps* américains pour t'inspirer ?

Je ne pouvais pas croire que j'avais bâti un tel scénario.

— Je dois avoir l'air de la plus grosse cruche de l'histoire ! Je capote un peu pour rien, des fois...

— C'est correct, dit Alexis. Je suis assez fin pour te donner une deuxième chance.

— Je te promets qu'à partir de maintenant, ça peut juste s'améliorer.

: :

Lui, moi, des chocolats chauds et une éternité à discuter dans un café : notre premier tête-à-tête a confirmé ma promesse. Alexis possédait un talent naturel pour faire tomber n'importe qui sous son charme. Il carburait aux réactions pétillantes que généraient les phrases craquantes qu'il lançait avec juste assez de spontanéité pour ne pas être soupçonné de les avoir déjà préparées. Curieuse, j'ai tenté de le déstabiliser en lui posant une question à un million de dollars.

— Pourquoi tu m'as attendue ?

Dès l'instant où le point d'interrogation a résonné entre mes cordes vocales, j'ai réalisé que je sonnais comme une romantique finie, persuadée qu'il avait mis sa vie sur pause jusqu'à ce que je m'intéresse à lui…

— J'veux dire, ajoutai-je, on a échangé à peine dix phrases, cet automne. T'aurais pu m'oublier.

Il ne semblait pas troublé par ma question.

— La première fois que je t'ai vue, t'étais vraiment dans ta bulle. Je te regardais et j'avais envie de savoir ce qui se passait dans ta tête. Pis, quand je suis venu te parler, et que tu bafouillais une fois sur deux…

Il a pris une pause pour vérifier si je rougissais. Avec raison.

— C'était tellement différent de ton je-me-fous-de-tout-le-monde-avec-le-sourire que ça m'a intrigué, conclut-il.

— Moi qui pensais que t'étais juste pas habitué de te faire dire non par une fille et que tu t'étais mis au défi d'ajouter un nom à ton tableau de chasse.

Au lieu de s'offusquer de la pointe que je venais de lui lancer, il a joué le jeu.

— Aussi ! T'étais le numéro deux cent dans mon palmarès, et je pouvais pas vivre avec l'idée de passer à côté d'une si belle statistique ! Donc, j'ai décidé de te pourchasser comme une antilope dans la brousse africaine et d'apprendre à patiner pour jouer au hockey avec tes frères, jusqu'à ce que tu me remarques...

Une répartie percutante, encore une fois.

— Désolée que tu subisses notre sport national juste pour t'approcher de la petite bête sans défense que je suis...

J'essayais de lui faire comprendre que j'étais loin de la fille désespérée et prête à tout pour attirer un garçon. La preuve : j'avais refusé de mettre de côté ma passion pour ses beaux yeux, l'automne dernier.

— Pour revenir à ce qu'on disait, reprit Alexis en me faisant comprendre qu'il ne s'aventurerait pas sur ce terrain glissant, je pense que ça a piqué mon orgueil que tu me dises pas « oui » tout de suite.

— Ah ! Je le savais !

— C'était pas de la fierté mal placée, mais d'habitude, si je veux connaître une fille, elle est généralement d'accord... C'est l'fun, mais en même temps, ça m'ennuie. J'aimais ça que tu sois pas comme les autres et que tu m'obliges à travailler un peu plus fort.

Note à moi-même : m'assurer d'être différente aussi souvent que possible.

À partir de ce moment, notre discussion est allée dans tous les sens. Je lui ai expliqué ma relation privilégiée avec Émile et les Leclair, après avoir résumé la dynamique désolante de ma famille. Il a renchéri en me parlant des Séguin : Anne-Sophia, la mère médecin de famille, qui avait déménagé mari et enfants à Matane pour combler un besoin criant à l'hôpital ; Normand, le papa infirmier dont la mutation avait été une formalité ; Élisabeth, la petite sœur de douze ans, qui avait du mal à s'adapter au changement. Son père venait de la Beauce et sa mère était d'origine roumaine. Après trois heures de discussion soutenue, nous avons réalisé que le café fermait exceptionnellement tôt, en ce 24 décembre. Il était quatorze heures. Alexis a insisté pour me reconduire jusqu'au chemin de la Grève, même s'il vivait au centre-ville.

— Vous fêtez Noël aujourd'hui ou demain dans ta famille ? demanda-t-il.

— Ce soir. Je passe le reste de l'après-midi chez Émile pour emballer des cadeaux. Ensuite, je vais retourner à la maison pour la soirée la plus lourde de l'histoire. Ça se peut que j'en sorte vraiment amochée, limite mourante. On devrait se revoir bientôt, au cas où mes jours seraient comptés…

Message subliminal : je ne suis pas une antilope qui attend qu'on lui coure après, mais une panthère discrète capable de chasser.

— C'est sûr ! dit-il. On fera ça l'an prochain !

— Quoi ?

L'angoisse m'a gagnée.

— Je pars le 26 pour une compétition et je reviens le 2 janvier, répondit Alexis. Je m'en vais en Hongrie ! C'est la première fois que je participe à une compé internationale.

J'ai tenté d'accrocher un éclat de joie sincère au fond de mes yeux.

— On pourrait se voir le jour de mon retour, suggéra-t-il. Si t'es prête à endurer un gars en décalage horaire.

— Ça va juste m'aider à ne pas perdre complètement la tête devant ton charme ir-ré-sis-ti-ble, répliquai-je, volontairement baveuse. Pour vrai, on fera notre deuxième *date* en mou. Je suis même prête à ne pas me laver pendant six jours pour que t'aies l'impression de me faire une faveur en laissant ta beauté me côtoyer...

— Moi, je retiens surtout les mots « deuxième *date* ».

3

Je pourrais citer un million de raisons pour justifier mon amour inconditionnel pour les Leclair, mais si je devais en choisir une seule, ce serait leurs traditions :

- Chaque année, le premier samedi de décembre, les trois générations de Cournouailler – Jacqueline, Maude et Émile – cuisinaient les tartes et les pâtés pour les fêtes. Heureusement, mon ami se contentait, pour nous éviter un empoisonnement alimentaire, de placer la pâte dans les moules et de soutenir les femmes avec son entrain.

- Un vendredi par mois, Paul et Maude allaient souper au resto où ils avaient eu leur premier rendez-vous.

- Chaque année, père et fils répétaient le même concept photo, afin de suivre l'évolution physique de fiston.

Cette famille édredon, dans laquelle je me réfugiais pour oublier le reste du monde, faisait aussi naître chez moi des accès de jalousie. Par leur seule existence, les parents d'Émile confirmaient que les miens avaient des carences gargantuesques : Maude et Paul prouvaient qu'on pouvait éduquer un enfant en le laissant devenir lui-même et en lui disant « je t'aime », sans donner l'impression qu'il s'agissait d'une expression mise à l'index. Bref, chaque minute passée avec eux était un délice qui me rappelait à quel point la maison Jutras était un supplice.

Je suis une version moderne de Cendrillon, à quelques détails près…

Contrairement au célèbre personnage, qui subissait les frasques de ses demi-sœurs avant d'être sauvé par un prince, j'étais secourue sur une base régulière par Émile et ses parents, alors que mes frères enduraient nos géniteurs à temps plein. Dès notre première année de voisinage, je m'étais fait une place spéciale chez les Leclair. Par exemple, tous les soirs de décembre avant Noël, je soupais chez moi en vitesse avant d'aller chez eux pour regarder les dessins animés de *Ciné-Cadeau*.

Un moment sacré.

Puisque je ne voulais pas seulement m'incruster dans leurs rituels, j'avais un jour amorcé ma propre tradition avec Émile : nous emballions ensemble les cadeaux que nous allions offrir – d'abord des bricolages que nous fabriquions à l'école, puis des idées plus élaborées – en écoutant des chansons de Noël et en engloutissant une montagne de Ferrero Rocher, tous les 24 décembre après-midi.

Peu après ma première *date* avec Alexis, nous avons entrepris notre routine pour la dixième année consécutive, dans le confort de la chambre d'Émile.

1. Il a fait jouer *Glory Alleluia* en anticipant la réaction de sa mère, qui regrettait de lui avoir acheté l'album *Johanne Blouin chante Noël*. Quelques secondes après, nous avons sorti nos cadeaux.

— T'es tellement subtile ! s'exclama mon ami en voyant le coffret DVD de *Desperate Housewives* pour ma mère.

— Quoi ? C'est super bon ! Et, si ça la convainc de pas empirer, je vais être fière !

— Tu donnes quoi à ton père ?

— Je voulais lui acheter un calendrier avec des citations de grands philosophes pour remplacer son calendrier de pitounes dans le garage, mais j'ai l'impression qu'il n'apprécierait pas mon humour...

— C'est sûr que non ! Je pense que j'ai vu Ghislain rire deux fois depuis que je vous connais...

— Maximum ! répliquai-je. À la place, j'ai acheté un vin d'une compagnie appartenant à un ancien joueur du Canadien. Tu connais mon père : il est tellement fan qu'il serait prêt à boire la transpiration de Saku Koivu.

Émile a grimacé, alors que la nouvelle étape de notre rituel débutait.

2. Ne pas être le premier à se tromper en chantant *Mes douze Noëls* : un défi que j'ai gagné haut la main à la dixième répétition, lorsque j'ai terminé l'un des innombrables « parapam pam » en donnant une tape sur le front d'Émile. Il a complètement perdu le fil, et j'en ai profité pour manger le dernier Ferrero Rocher de

la boîte de vingt-quatre entamée vingt-deux minutes plus tôt.

— T'es tellement tricheuse ! s'offusqua-t-il.

— Bon, bon, bon, les gros mots…, répliquai-je en plaçant sous son nez un chocolat que j'avais caché.

— Et accessoirement une très bonne personne, corrigea-t-il en engloutissant la confiserie. Même si tu t'intéresses pas aux cadeaux extra-or-di-naires que j'ai préparés !

J'essayais de repousser le moment où l'inventivité de mon ami allait jeter de l'ombre à mes idées. Cette année encore, il s'était surpassé. À ses parents, il offrirait un forfait spa, souper et nuitée dans une auberge de la région. Chose qu'il n'aurait jamais pu payer sans l'argent que son grand-père lui avait donné pour son travail à la ferme. Bien entendu, Émile refusait de leur annoncer la nouvelle banalement. Il avait fabriqué un cadre dans lequel se trouvaient cinq de ses photos de l'auberge. Et comme si cela n'était pas déjà assez, il avait trouvé un cadeau pour ses grands-parents, qui refusaient pourtant de recevoir quoi que ce soit de leur unique descendant.

— Je leur ai préparé des muffins aux framboises et au chocolat blanc, avec un message caché dedans :

> *Votre petit-fils s'engage à vous donner deux heures de son temps, tous les mois de 2006, pour réaliser la tâche de votre choix, et ce, même s'il chiale parce qu'il déteste votre demande.*
>
> *P.-S. Si vous êtes trop gênés pour l'exploiter, il vous réveillera chaque nuit avec une toune de la Compagnie Créole.*

Émile a tourné ses yeux espiègles vers moi en entendant la nouvelle chanson.

3. *Les noëls du monde* résonnait dans les haut-parleurs.

— Hey ! dit-il. Je t'ai pas demandé… as-tu prévu quelque chose pour ton p'tit Roumain ?

Je l'ai regardé avec un air de fausse trahison.

— Voir que t'étais au courant de ses origines tout ce temps-là, pis que tu m'as rien dit !

— Ben là, je voulais pas me vanter de connaître ton homme plus que toi.

Yeux en l'air.

— De un, c'est pas « mon » p'tit Roumain. De deux, je vais rien lui donner. On va voir s'il est capable de m'endurer un mois avant de partir en peur.

— S'il a besoin de conseils, tu lui diras de venir me voir ! J'ai dix ans d'expérience !

J'ai riposté en lui balançant un oreiller au visage, l'équivalent d'une déclaration de guerre. Il s'est lancé sur moi, croyant encore à ses chances d'avoir le dessus. Nous nous sommes chamaillés pendant cinq minutes, jusqu'à ce qu'il demande une trêve.

Comprendre ici : jusqu'à ce que son cardio d'opossum le trahisse.

Pendant qu'il reprenait son souffle en cherchant un autre album de Noël, j'ai emballé un cadeau dont je ne voulais pas parler : ma flûte traversière, que j'irais porter chez mon ancien professeur, monsieur Forest, avec un message.

> *Je reviendrai la chercher un jour. D'ici là, je trouverai peut-être les mots pour vous remercier de tout ce que vous avez fait pour moi. Joyeux Noël xx*

Lorsque la voix de Mariah Carey a fait vibrer les haut-parleurs avec *All I want for Christmas is you*, mon esprit mélancolique s'est requinqué avec une pensée pour Alexis. J'avais l'impression que la chanson me suggérait de consacrer mon attention à l'unique chose positive qui m'était arrivée ces derniers temps. Un signe me rappelant qu'il était entré dans mon existence seulement après que la musique en a été sortie. Comme si une éventuelle relation amoureuse ne pouvait cohabiter avec une éternelle dévotion musicale, mon cœur n'ayant pas suffisamment d'espace pour gérer les deux.

: :

Malgré mes années d'expérience, je ne m'habituais pas à la soirée de Noël chez les Jutras : l'horaire rigide en totale contradiction avec le concept de « vacances des fêtes », le repas traditionnel aussi prévisible que nos discussions à table, la remise des cadeaux à partir de dix-neuf heures précises, et la tentative de jeu qui ne levait jamais vraiment. Je me suis réfugiée dans ma chambre dès que j'en ai eu l'occasion, question de digérer les cadeaux que mes parents m'avaient offerts : un étui pour ma flûte traversière, un panier de friandises et un guide de voyage sur l'Autriche, où je serais allée si j'avais terminé parmi les trois meilleurs au concours de musique...

— T'es contente ?

— Ben… j'irai pas à Vienne cet été.

Maman achetait ses cadeaux en novembre. Donc, mes parents avaient cru, un instant, que j'avais le potentiel de gagner et ils désiraient agrémenter mon voyage. Pouvais-je leur en vouloir ?

— C'est pas grave, ça, ma fille, dit mon père. Tu iras là-bas quand tu seras plus vieille.

Je me suis retenue de riposter qu'une partie du guide serait caduque quand j'aurais les moyens de me payer un voyage outre-mer. De son côté, papa continuait de défendre leurs cadeaux.

— Depuis le temps que tu nous achales pour avoir un *case* qui a de l'allure, dit-il.

— Je vous ai dit que j'arrêtais la musique, la semaine dernière…

— Fallait y penser avant qu'on emballe nos cadeaux. C'était en rabais, on pouvait pas se faire rembourser.

— Pis, on allait quand même pas s'en débarrasser, renchérit ma mère. Déjà, avec l'argent qu'on a perdu c't'automne pour que t'ailles à Vancouver…

Ma petite fin du monde ne faisait pas le poids devant la rentabilité de leur investissement. Abasourdie, je leur ai souhaité « bonne fin de soirée » avant de me glisser sous les draps, vers vingt-deux heures, en comptant non pas les moutons, mais les minutes qui me séparaient des vraies célébrations de Noël.

: :

En quittant mon lit peu après le lever du soleil, j'ai englouti un bol de céréales et réveillé mes frères pour aller patiner. Un peu plus tard, j'ai marché jusqu'à la maison de monsieur Forest, afin de lui remettre ma flûte dans son ancien étui. J'ai déposé mon cadeau sur le paillasson, sonné et déguerpi. Je n'étais pas prête à le revoir.

Des plans pour pleurer le jour de Noël…

D'un pas rapide, je suis retournée vers le chemin de la Grève, excitée de savourer le dîner de Noël que les Leclair organisaient depuis huit ans, afin d'égayer mon temps des fêtes. Cette année, nous avons savouré une multitude de plats réconfortants : crème de champignons, macaroni gratiné et croustilles de chou-fleur au paprika. Maude et Paul m'ont offert un assortiment de confitures maison, avec des étiquettes faites avec des photographies prises de moi à différents moments de mon enfance. Émile m'a donné des mitaines qu'il avait « lui-même » tricotées sous la supervision de sa grand-mère (il avait choisi la couleur et il l'avait regardée faire), une carte dans laquelle il avait glissé dix coupons pour des chocolats chauds gratuits et un petit mot :

> *T'as le droit d'en utiliser avec ton p'tit Roumain, mais*
> *t'es obligée d'en boire au moins la moitié avec moi.*
> *J'ai demandé à la propriétaire de tenir le compte.*

— Ça fait pas mal plus longtemps qu'Alexis que je lui fais du charme ! ajouta Émile. Il a aucune chance !

Mon ami manquait gravement de subtilité pour me rappeler la place qu'il désirait conserver dans ma vie, mais comme je ne pouvais pas me passer de lui, je l'ai remercié avec une grimace souriante. À mon tour, je leur ai donné quelque chose d'immensément symbolique : un vieil enregistrement à la flûte à bec de la chanson thème de *La grenouille et la baleine*, le premier film que nous avions regardé tous ensemble. Sachant que je refusais généralement qu'ils m'entendent jouer, ils m'ont remerciée avec un câlin collectif. Puis, nous nous sommes collés sur le canapé pour revoir les histoires de la rouquine.

J'aurais voulu que ce moment n'arrête jamais...

En fin d'après-midi, la *mamma* et moi sommes montées dans sa chambre pour que je l'aide à se préparer. Après un coup de crayon pour les yeux et un rouge à lèvres discret, elle m'a demandé de fouiller dans les sacs qui traînaient pour trouver le parfum que son amoureux lui avait offert, la veille. Il n'en fallait pas plus pour que mon esprit divague vers Alexis, son odeur, un mélange entre un déodorant commercial de fraîcheur nordique et une touche de vanille, qui était restée sur ma peau après notre premier baiser.

— À quoi tu penses, ma chérie ?

Maude m'observait dans le reflet du miroir.

— Alexis..., répondis-je en me sentant presque soulever de terre en prononçant son nom.

— J'ai hâte de le rencontrer.

J'ai rougi instantanément.

— C'est sûr que tu vas l'aimer !

— Émile nous a dit qu'on n'avait aucune raison de s'inquiéter.

J'aimais l'idée qu'ils veuillent jouer les gardes du cœur, mais j'étais étonnée qu'ils discutent de ma vie sentimentale.

— Ben quoi ? reprit Maude. Tu pensais quand même pas que tu pouvais frencher sans qu'on le sache !

— J'ai pas sorti la langue ! ripostai-je en éclatant de rire.

— T'essaieras la prochaine fois, et tu m'en reparleras !

Elle m'a suggéré de prendre sa place pour me brosser les cheveux et m'inciter à me confier.

— Es-tu certaine que… tu referas plus de musique ?

J'ai baissé les yeux en répondant.

— Cent pour cent certaine. Tu le sais, quand je décide quelque chose, je change pas d'idée.

— Oui, mais…

— Je te jure ! Tout le monde pense que ma passion pour la musique ne peut pas avoir disparu, mais c'est moi qui étais à Vancouver. J'ai compris ce que ça prend pour percer… et je l'ai pas ! Ça sert à rien de travailler comme une folle si j'ai pas ce qu'il faut. Et je refuse de jouer pour le plaisir, alors que j'ai juste envie de casser ma flûte en deux chaque fois que je la vois !

J'ai soutenu son regard de longues secondes lorsqu'elle a posé la question qui me hantait depuis mon retour.

— Alors, qu'est-ce que tu vas faire ?

: :

Assise aux côtés d'Émile chez ses grands-parents, je n'arrivais pas à formuler un mot. Une heure plus tôt, la *mamma* avait ouvert une boîte de Pandore. Mon esprit me bombardait d'images et de sons, des partitions apprises au fil des ans, des souvenirs de compétition, du visage de monsieur Forest quand il m'avait rencontrée après le concert de l'école de musique. Mon silence était à l'image de ce qui m'habitait depuis que la musique ne faisait plus partie de mon quotidien: le vide. Plus le congé des fêtes avançait, plus je réalisais que la musique était non seulement une passion, mais aussi un moyen de conserver mon équilibre, en exprimant mon hypersensibilité quotidiennement. Désormais, j'avançais dans la vie comme un capitaine de bateau navigue dans le brouillard, tâchant de se rappeler les règles de base, mais sachant qu'il peut frapper un rocher à tout coup, couler et se noyer en haute mer, sans témoin…

— Ben voyons, ma Lilie! gronda gentiment Jacqueline, la grand-maman d'Émile. T'as presque rien mangé.

Je ne faisais rien d'autre que jouer avec ma nourriture.

— On l'a trop nourrie, ce midi, intervint Maude en voyant que je ne savais pas comment me justifier. Ça fait dix ans qu'on entraîne son estomac, mais on dirait qu'il est trop petit pour nous suivre.

Quand je l'ai vue mettre une main sur l'épaule de sa mère pour lui signifier de ne pas insister, une boule de tristesse m'a envahie. J'ai tenté de la faire disparaître en engouffrant tout ce qui se trouvait dans mon assiette, sous le regard rassuré de Maurice, le grand-père de mon ami. À chaque bouchée, je réalisais le privilège que j'avais d'être invitée chez les Leclair et les Cournouailler. Malheureusement, je me laissais submerger par des questions existentielles au lieu d'en profiter.

— Ouf ! s'exclama Paul en éloignant sa chaise de la table. Je pense que j'ai jamais mangé autant.

— Il reste encore le dessert ! répliqua Jacqueline, préoccupée.

— Laissez-moi une petite heure pour digérer, pis je vais sûrement me laisser tenter, madame Cournouailler.

— Tu peux courir jusqu'à la maison, si ça peut t'aider, suggéra Maude. On a oublié les cadeaux pour mes parents…

Sa remarque a ouvert une brèche dans mon esprit. Au même moment, Émile est intervenu :

— Tu pourrais aussi me donner tes clés pour que j'aille les chercher, pendant que tu meurs tranquillement sur le sofa ! Tsé, à quarante ans, t'es peut-être plus capable de faire autant d'exercice !

Presque aussi enthousiaste que mon ami, je venais de trouver une option de rechange à la musique.

— J'ai trente-neuf ans, je te ferai remarquer, répliqua Paul. Mais, si tu veux, on peut faire la course !

Je pourrais tout miser sur le sport et me défouler comme je le faisais en musique !

Les garçons Leclair se bousculaient dans l'entrée pendant que j'affrontais une nouvelle question existentielle.

Quel sport choisir ?

4

En cette veille de la nouvelle année, mes préoccupations sportives étaient reléguées au trois cent soixante-quatrième rang de mes priorités. Je devais remplir la part de mon entente avec Jonathan : puisque mon frère avait persuadé mes parents de nous laisser la maison pendant qu'ils se rendaient à la soirée de la parenté – l'équivalent d'une lente torture dont personne ne s'était remis un an plus tard –, il avait exigé que j'organise la fameuse soirée cinéma.

Au programme :

- Laisser Jérémie choisir le film au club vidéo, afin qu'il ne se désintéresse pas de notre activité lorsque Jo et Sarah-Maude s'éclipseraient du sous-sol ;
- Inviter Émile et l'obliger à taire les commentaires qui mettraient la puce à l'oreille de mon cadet ;
- Aller chercher les tourtereaux à l'étage pour que nous vivions le décompte de minuit ensemble, même si cela impliquait d'entendre les gémissements que j'aurais préféré ne jamais connaître ;

- Douter un instant du bien-fondé de cette opération, dont le but était, n'ayons pas peur des mots, de permettre à mon grand frère et à sa blonde de baiser ;

- Croiser le regard satisfait de Sarah-Maude, constater qu'elle semblait beaucoup plus à l'aise que moi, me dire qu'elle et Jonathan avaient sûrement déjà eu du sexe avant et tenter de déterminer après combien de temps des amoureux adolescents franchissent cette étape ;

- Me rappeler qu'Alexis avait un an de plus que moi, me demander s'il avait déjà vécu sa première fois, penser qu'un jour je vivrais la mienne et m'autobombarder de questions (quand, comment, avec qui ?), en réalisant que je n'y avais jamais vraiment pensé...

- Voir Jonathan surgir avec une bouteille de rhum, trois minutes avant le début de 2006, et vérifier que le ratio Coca Cola-alcool demeurait raisonnable ;

- Empêcher les amoureux de retourner dans leur coin après le décompte, sachant que mes parents quitteraient la fête de famille quinze minutes après les vœux de nouvelle année ;

- Jouer trop longtemps aux cartes, sans comprendre pourquoi Émile gagnait presque toujours ;

- Mourir de fatigue, casser le party, entendre mon ami se plaindre que les trente mètres entre nos maisons lui semblaient insurmontables, l'aider à mettre son linge d'hiver comme un enfant et le trouver encore plus adorable ;

- Poser ma tête sur mon oreiller, fermer les yeux et improviser une liste de résolutions :

    1. Ne plus jamais maltraiter mon préféré, comme je l'avais fait cet automne ;
    2. Trouver deux ou trois qualités à mes parents ;
    3. M'inventer une nouvelle passion ;
    4. Gérer l'angoisse générée par le nº 3.

: :

Alors que la majorité des humains profitaient du premier jour de l'année pour réfléchir à ce qui les attendait, je préférais me concentrer sur le deuxième, marquant le retour de mon judoka. Malgré tout ce que j'avais fait au cours de la dernière semaine avec Émile, Maude, Paul et mes frères, je n'arrivais pas à m'enlever Alexis de la tête.

Est-ce que j'ai le droit de m'ennuyer d'un gars avec qui j'ai passé moins de cinq heures dans ma vie ?

Le sentiment qui m'habitait semblait exagéré, mais je n'y pouvais rien. J'avais hâte de le revoir, de poursuivre nos discussions et… de l'embrasser.

Ça pourrait être ça, ta nouvelle activité : peaufiner ta technique de baiser.

L'époque où je testais mes compétences en embrassant le coussinet de peau entre mon pouce et mon poignet me semblait si lointaine. Je pouvais enfin vivre la vraie expérience. Et je comptais les heures me séparant de ma prochaine répétition. Je m'étais volontairement couchée tard, afin de rouvrir les yeux vers midi et de limiter mon impatience. Je ne savais même pas quand Alexis me ferait signe. J'ignorais s'il aurait l'énergie de me voir.

Peu importe, il faut que tu te gères.

Pour ce faire, j'ai demandé à mes frères d'aller jouer au badminton. J'aimais l'idée de courir comme une folle dans un gymnase et de me défouler sur un volant pour étourdir mon esprit. À notre retour, je me suis débattue avec Jonathan pour être la première à prendre ma douche: j'ai gagné en le menaçant de révéler ses activités du 31 décembre aux parents. Ignorant pourquoi je tenais à être propre si rapidement, un jour de congé, il s'est vengé vingt minutes plus tard, quand le nom de famille d'Alexis est apparu sur l'afficheur du téléphone.

— C'est Alex, je vais répondre! dit-il assez fort pour que je l'entende dans la salle de bain.

Je suis sortie en vitesse avec une serviette autour des cheveux.

— *Mom!* cria Jo avec un regard malicieux. As-tu vu Lilie? Alexis veut lui parler.

Occupée au sous-sol, ma mère a crié.

— Qu'est-ce qu'il lui veut?

— Je pense qu'il la trouve de son goût, répondit mon aîné. Je comprends pas trop pourquoi...

— Hein? s'exclama-t-elle.

Peux-tu, s'il te plaît, être moins surprise d'apprendre qu'un gars s'intéresse à moi?

Jo tenait le téléphone hors de ma portée, comme si j'étais un bébé chien à qui on enseigne la patience en plaçant un biscuit au-dessus de sa tête. Sachant qu'Alexis entendait tout, j'ai mis fin à ce moment embarrassant en twistant un mamelon de mon grand frère pour qu'il lâche l'appareil.

— Salut, dis-je légèrement essoufflée. Désolée pour tout ça… mon frère faisait le con. Comment ça va ?

— Correct, répondit-il d'une voix effacée. Ça fait deux minutes que je suis rentré. Je suis un peu crevé…

Note à moi-même : m'appeler est la première chose qu'il a faite en arrivant. Yay.

— Il serait quelle heure, si t'étais encore en Hongrie ?

— Presque minuit ! Mais, c'est pas ça le pire : on vient de passer seize heures dans les aéroports et dans les airs.

— Oh. Tu dois avoir besoin de te reposer…

— Je dois rester debout au moins jusqu'à dix heures pour casser le décalage. J'ai pensé que tu serais une bonne raison de rester éveillé.

Awww. Même à moitié mort, il trouve encore le moyen de faire le don Juan !

Si je doutais régulièrement d'être digne d'intérêt, la persistance d'Alexis me prouvait le contraire.

Reste à voir s'il va aimer la suite…

: :

J'ai douté à la seconde où je suis arrivée chez lui. Normand Séguin m'a ouvert la porte en affirmant que son fils m'attendait au sous-sol. J'étais déçue qu'Alexis ne vienne pas m'accueillir lors de ma première visite, et mon sentiment s'est décuplé quand je me suis approchée du canapé : il est resté assis, sans prendre la peine de m'embrasser. J'avais la bizarre impression que la dernière semaine avait effacé la complicité qui nous unissait.

— Allô, dit-il visiblement fatigué. J'espère que t'as pas trop d'attente en venant me voir…

— Qu… quoi ? Comment ça ? Quelles attentes ?

Sérieusement, le bégaiement qui recommence ! ?

— Pour notre soirée… On a dit qu'on prenait ça relaxe.

— Ah ! Oui. Ben oui ! J'ai du vieux linge mou dans mon sac.

Alexis était avachi sur son canapé dans la splendeur de son survêtement de jogging.

— J'ai pensé mettre mon chandail de loup, lança-t-il, mais je me suis dit qu'on n'était pas encore rendus là.

— Moi, je retiens un mot : « encore ».

Amusée, je me suis dirigée vers la salle de bain pour me changer. À mon retour, j'ai vu à travers les oreillers un sac de glaçons recouvrant son pied droit.

— Tu t'es blessé ?

— Ouin… je me suis foulé la cheville.

— Comment ?

La gêne dessinait du rouge sur ses joues.

— C'est niaiseux…

— T'as abandonné la compétition ?

— Pas vraiment…

Monsieur est partisan des réponses vagues aujourd'hui.

— Peux-tu être moins clair ?

— Bof… c'est pas si important. Je vais être correct dans dix jours.

Je n'arrivais pas à déterminer si je le dérangeais ou s'il était trop épuisé pour s'impliquer dans la discussion.

— OK… Si t'as pas envie d'en parler ou si tu préfères rester seul ce soir, tu peux me le dire.

J'avais formulé ma phrase avec un calme impressionnant.

— Hein ? Ben non ! C'est juste que…

Sa mine s'est assombrie.

— Je suis vraiment déçu, reprit-il. J'ai perdu mes deux premiers combats et, quand j'ai fait quelque chose qui avait de l'allure, je me suis blessé comme un con.

— Dis pas ça !

— Je te jure. En sortant du tatami, je me suis tourné le pied entre deux matelas. Y a pas plus stupide que ça !

Il a presque ri en se revoyant tomber.

— Étais-tu nerveux ?

— Au début, je me sentais comme un débutant ! Mon premier adversaire m'a battu par ippon en une minute...

Je n'avais aucune idée de ce dont il s'agissait.

— Il m'a immobilisé le dos au sol pendant vingt secondes... C'était le vice-champion du monde junior, alors je m'attendais à me faire planter. Ensuite, j'ai perdu mon deuxième combat par un pointage des juges vraiment serré. Je sais pas pourquoi, mais on dirait que ça m'a donné un élan de confiance : comme si le fait de rester dans le coup jusqu'à la fin prouvait que j'avais ma place avec eux. Tsé, ça fait des années que je rêve de participer à un événement comme ça. Les gens de Judo Canada m'ont donné une chance. Ils m'avaient à l'œil. Pis, j'ai tout fait fouerrer...

— Ben non ! T'as eu un accident ! C'est pas comme si t'avais refusé de te battre, parce que tu gérais mal la pression. Personne s'attendait à ce que le petit nouveau batte le deuxième meilleur de la planète ! Les gens de ta fédération devaient espérer que tu prennes de l'expérience, et ils ont sûrement été surpris par ta victoire.

Alexis s'apaisait tranquillement.

— Ouin...

Je le savais préoccupé, fatigué. Pourtant, entre les mailles de notre discussion, j'ai retrouvé le fil invisible qui nous reliait avant son départ.

— T'es peut-être pas une athlète, dit-il, mais tu comprends ces affaires-là plus que les autres. La musique de haut niveau ou le sport de haut niveau, ça doit être pareil, dans le fond...

Mon instinct de survie s'est mis en marche, craignant qu'Alexis veuille entendre parler de Vancouver. Plus le temps passait, moins j'envisageais de reparler du concours. Même Émile ignorait ce qui s'était passé.

À mon grand bonheur, Alexis a poursuivi son analyse comparative.

— Investir des heures de fou sans que personne comprenne vraiment pourquoi. Se dire qu'on est trop jeune pour imaginer qu'on est en train de jouer notre avenir, mais avoir quand même un peu raison… Aye, tu dois capoter maintenant que tu répètes plus !

Je le remerciais intérieurement de s'intéresser à mon présent, et non à mon passé.

— Mets-en ! J'ai du mal à croire que la chose la plus importante dans ma vie, dans une semaine, ça va être la poly…

— Je comprends… Il y a deux ans, j'ai eu une phase « j'haïs l'école, j'haïs touTe, je veux juste faire du judo », mais je me suis calmé. Si le sport nuit à mes notes, mes parents vont m'empêcher de m'entraîner. Pis, j'ai compris que la meilleure façon de performer, c'était d'avoir du fun !

Note à moi-même : m'inspirer d'Alexis Séguin.

— C'est quoi ton objectif en judo ? Les Olympiques ?

Il s'est esclaffé avant de répondre.

— Dans longtemps, peut-être ! Je vais commencer par faire ma place dans l'équipe nationale junior. Et un jour, je vais peut-être rêver aux Jeux de 2012. Ceux de Pékin arrivent ben trop vite !

— 2012 ! C'est dans six ans !

— Je sais, répondit-il avec détachement. Je prends une chose à la fois. Mon prochain but, c'est de participer à une autre grosse compétition, sans me péter la gueule.

Note à moi-même : taire l'idée voulant que, moi aussi, j'aurais pu me reprendre après une compé ratée...

— Sage garçon.

— Et toi ? À part détester l'école, tu vas faire quoi ?

Son ironie était pleine d'affection, mais je sentais aussi une pointe à mon égard.

— Tu dis ça comme si je me plaignais pour rien...

— Noui... Il y a quand même plein de jeunes dans le monde qui rêvent juste de ça, aller à l'école.

J'étais éberluée et charmée.

— Je suis censée répondre quoi à ça ? Peu importe ce que je dis, je vais avoir l'air de la fille qui se plaint le ventre plein.

Alexis ne m'a pas contredite.

— En tout cas, repris-je, je savais pas que je *datais* le futur dalaï-lama, parfait pis plein de compassion.

— Tu comprendras que je ne m'attends à rien de moins qu'un exemple d'empathie, de bonté et d'équilibre.

Amusée, je l'ai regardé comme un frappeur, au baseball, fixe la balle qu'il s'apprête à envoyer dans les gradins.

— Désolée, si tu veux une fille parfaite, il va falloir que tu rappelles Marie-Claude-Chose !

— Ouch... C'est tellement une *cheap shot* !

Nous ricanions comme des enfants.

— Pour vrai, dit-il, je veux pas que tu penses que t'as pas le droit de te plaindre avec moi.

— Non, non, j'ai compris. Je vais me mettre un sourire dans la face en allant à la polyvalente et je vais m'inventer une vie pour pas que tu me trouves plate.

Ma dernière réplique oscillait entre l'exagération provocatrice et une simple vérité.

— Lilie...

— Je suis sérieuse. J'ai même une idée... J'essaie de trouver le sport où j'ai le plus de chance d'exceller.

Il semblait douter.

— Tu trouves ça idiot ?

— Pantoute ! Sauf que j'ai l'obligation de te poser deux, trois questions avant de t'accueillir dans la confrérie des athlètes. Es-tu prête à transpirer au point de te foutre de ce que t'as l'air ? À avoir mal partout, même quand tu dors ? À t'entraîner blessée ? À manquer des journées d'école pour participer à des compétitions, MÊME S'IL Y A DES ENFANTS PAUVRES QUI RÊVENT JUSTE DE PRENDRE TA PLACE ?

Sans mot, je me suis approchée pour concrétiser ce à quoi je rêvais depuis neuf jours, deux heures et... cinquante-trois minutes : l'embrasser.

— Oh ! dit Alexis entre deux baisers. J'ai oublié : je dois aussi vérifier à quel point t'es capable de gérer ÇA !

Une seconde plus tard, il a glissé des morceaux de glace entre mon chandail et mon dos. J'ai voulu les retirer sur-le-champ, mais il a mis en pratique l'une de ses techniques pour m'immobiliser sur le dos et... me chatouiller !

— Je te déteste tellement !

Profitant de mes années de pratique avec Émile et mes frères, je me suis débattue comme une folle, en retrouvant l'usage d'un de mes bras pour lui pincer la peau et continuer de gesticuler, jusqu'à ce que...

— Ouchhhhhhhhh !

Alexis. Son pied. Sa foulure.

— Merde ! Merde ! Merde ! Je m'excuse. Je voulais pas... Je...

Il a retrouvé son sourire instantanément.

— Je te niaise ! Je voulais juste tester tes aptitudes. Tu devrais faire du judo. On se verrait plus souvent...

— Pfff! Fais attention à ce que tu dis. Dès que tu vas être guéri, tu me verras pas venir, pis tu vas te retrouver la face dans un banc de neige !

Fort diverti, il a murmuré six mots qui m'ont fait fondre :

— Je suis content de te revoir.

5

À six jours du retour en classe, je me trouvais étonnamment studieuse : je faisais des recherches pour trouver des athlètes s'étant illustrés après avoir débuté à l'adolescence. Une nécessité, puisque Jonathan, à qui j'avais partagé mes ambitions, voulait me prouver que j'étais trop vieille pour réaliser mon rêve. Chaque jour, il me lisait la biographie d'une athlète ayant atteint les sommets de sa discipline extrêmement jeune : Nadia Comaneci, médaillée d'or olympique en gymnastique à quatorze ans et huit mois ; Martina Hingis, plus jeune numéro un mondiale de l'histoire du tennis à seize ans et six mois, et Barbara Jones, une coureuse américaine qui avait gagné une médaille olympique à quinze ans et quatre mois !

Je vais avoir le même âge dans douze semaines !

Soutenue moralement par un sac géant de jujubes-en-forme-de-fraises-qui-ne-goûtent-pas-la-fraise, j'ai heureusement trouvé des exemples de retardataires qui avaient participé aux Jeux olympiques et gagné des titres mondiaux. Je pouvais donc encore espérer accomplir tout ce que je pensais vivre grâce à la musique : devenir une surdouée, avoir un métier qui me fasse voyager et mettre le plus de kilomètres possible entre mes parents et moi.

Question de passer de la théorie à la pratique, j'ai voulu joindre l'utile à l'agréable en invitant Émile à skier.

— Aucune chance! répondit mon meilleur ami au bout du fil. Je suis en train de faire des tests pour un nouveau projet. *Anyways,* la dernière fois que j'ai fait du ski, je me suis avancé trop lentement vers le remonte-pente, il m'a frappé sur la hanche, j'ai revolé, mon genou a fini sur la glace et ma carrière s'est terminée.

Dire que j'ai manqué ça...

— Vois ça comme une occasion de devenir meilleur! rétorquai-je, enthousiaste. Je te jure que je rirai pas de toi.

— *No way!* Je fournis tellement d'efforts pour avancer avec des skis dans les pieds que je suis trempé en quinze secondes. Pis ça me tente pas de puer aujourd'hui.

— C'est officiellement la défaite la plus niaiseuse que j'ai entendue!

Étant donné que mes frères étaient captivés par la finale des Championnats du monde de hockey junior, j'ai renoncé au caractère alpin de mon après-midi. À la place, j'ai emprunté les skis de fond de ma mère et me suis lancée sur un trajet de vingt kilomètres. Après le quart, j'ai douté de ma santé mentale. Vers la moitié, j'ai renoncé à tous les sports d'hiver extérieurs qui m'obligeaient à composer avec le froid et la transpiration, les yeux qui pleurent et le nez qui coule. À trois kilomètres de la fin, j'ai résisté à l'idée de m'effondrer au sol jusqu'à ce que mort s'ensuive, en divertissant mon esprit avec une liste de possibilités sportives :

Patinage de vitesse courte ou longue piste	Je ne suis pas psychologiquement prête à avoir des cuisses plus grosses que celles de mon père.
Volley-ball ou basket-ball	Il me manque trente centimètres pour y penser.
Plongeon **Gymnastique** **Trampoline** **Patinage artistique**	Si je me réfère à la commotion cérébrale que j'ai subie à neuf ans en m'écrasant dans une – lamentable – tentative de saut périlleux avant, j'en arrache avec l'orientation spatiale.
Badminton	Mon petit frère de treize ans me bat de plus en plus souvent. Potentiel de dépréciation = élevé.
Ping-pong	C'est même pas un vrai sport…
Curling	Je suis sûre que c'est reposant de lancer des grosses roches. À envisager lors de ma retraite.
Athlétisme	Oui pour les sprints et les courses d'endurance. Non pour les épreuves de grosses brutes (lancer du marteau, du disque et du javelot). Peut-être pour les sauts (longueur, hauteur, perche).
Baseball	Idéal pour perdre toute forme d'intérêt pour la vie.
Football	Gros sport de sexistes sans ligue féminine.
Soccer ou hockey	Je n'aime pas les sports d'équipe, de toute façon…
Natation	Nager dans la mer : n'importe quand. Dans une piscine : à vérifier.
Boxe	C'est contre mes valeurs de me battre.
Judo	Je n'ai aucune valeur, mais plein d'images avec Alexis dedans. À essayer au plus vite !

Je prévoyais appeler Alexis pour lui dire de guérir vite, mais à mon retour de ma virée en skis, je me suis effondrée dans mon lit. Après treize heures de sommeil, mon estomac m'a réveillée en hurlant. Je me suis dirigée vers le garde-manger, en entendant mes quadriceps et mes épaules pleurer de douleur.

— Qu'est-ce que t'as, Lilie ? dit papa en me voyant grimacer.

— Je suis sortie skier pendant mille ans, hier. Pire idée du monde !

— Ah ! T'es rackée, c'est tout. Veux-tu un truc pour te remettre plus vite ?

— Ne pas te taper vingt kilomètres quand ça fait deux ans que t'as pas skié ?

Il m'a offert ce dont je le croyais incapable : un sourire de connivence.

— Ben c't'un début, hein ? Si tu veux casser tes courbatures, il faut que tu réutilises tes muscles rapidement. On appelle ça « combattre le feu par le feu ». Tu devrais aller nager. C'est plus doux sur le corps dans l'eau.

En quelques phrases, mon père venait de démontrer plus d'intérêt pour ma nouvelle carrière sportive que durant toutes mes années en musique.

— Si tu veux, je peux te reconduire à la piscine tantôt, ajouta-t-il. Ça ouvre à midi.

Me fallait-il seulement faire du sport pour obtenir son attention ?

— Cool ! Si j'ai trop mal et que je coule au fond de la piscine, tu diras à Émile qu'il hérite de mes CD.

— Hein ?

Il n'était pas encore prêt à savourer mon humour. Une chose à la fois.

— Rien, rien…

Trois heures plus tard, il m'a donné un lift jusqu'à la piscine, aussi connue sous le nom de « l'aquarium à torture ».

D'abord, le maillot de bain, datant de l'époque où ma poitrine était absente. L'impression que tout le monde me dévisageait. Le désir urgent de me précipiter dans l'eau. Le tout, suivi de quarante-cinq minutes à me rappeler que c'était pas mal plus agréable de faire la folle dans la mer que de nager entre des cordes.

Premier essai : peu concluant.

Sous la douche, j'ai utilisé la moitié d'un savon pour être certaine de sentir bon en retrouvant Alexis. Puisque la piscine était près de chez lui, je lui avais proposé de passer jouer les gardes-malades.

Sans le costume sexy ni les scénarios de porno cheap.

J'imaginais le retrouver sur le canapé, mais, surprise, il avait déjà recommencé à marcher tranquillement.

— Es-tu un mutant qui se régénère vraiment vite, pis t'as oublié de me le dire ?

— Nahhh. J'ai juste trop hâte de retourner m'entraîner! Toi, as-tu changé de parfum pour Chlore n° 5?

Je l'ai regardé comme un bébé renard regarde une voiture sur la grande route.

— Je me suis frottée jusqu'au sang avant de venir ici!

— C'est pas grave. Je vais m'acheter un pince-nez pour la prochaine fois.

Je lui ai donné une tape sur le ventre.

— Je t'aimais mieux à moitié endormi... De toute façon, c'est clairement pas fait pour moi, la natation. Je réfléchis sans arrêt à ma technique de bras, de jambes et de respiration. C'est *full* angoissant!

— Il existe quelque chose qui s'appelle «suivre un cours», madame la performeuse.

— Ouin, j'ai déjà entendu parler de ça. Sauf qu'à mon âge, si je suis pas bonne dès le départ, ce sera pas rentable!

Il se retenait pour ne pas rire de moi.

— Parlant de cours, repris-je, tu dirais quoi de m'initier au judo, bientôt?

Il s'est emballé.

— T'es sérieuse?

— Ben oui! J'essaie plein de sports, ces temps-ci.

— OK! Je pensais jamais faire ça avec une fille. J'veux dire, avec une fille que je... que j'embrasse souvent.

Une constellation s'est installée dans mes iris.

— On fait ça dimanche, avant de retourner à l'école? proposa-t-il. Je vais y aller doucement avec ma cheville.

J'ai hoché de la tête vigoureusement avant de l'embrasser. Nous nous sommes installés devant un film, lovés l'un contre l'autre, et je me suis endormie...

Beaucoup plus tard, j'ai rouvert les yeux en ne me souvenant plus où j'étais. La panique allait s'emparer de moi lorsque les effluves vanillés d'Alexis, mêlés aux restes de chlore sur ma peau, m'ont rappelé que j'étais une piètre nageuse qui avait passé les sept dernières heures chez un garçon, sans le consentement de ses parents. Peu avant vingt-deux heures, j'ai réveillé Alexis, je l'ai bécoté en vitesse et je suis partie à la course vers le chemin de la Grève, en m'assurant qu'aucun membre de la maison Jutras ne me voie cogner à la porte des Leclair. J'ai convaincu Émile de me laisser dormir chez eux, avant d'appeler mes parents pour leur faire croire que j'étais chez les voisins depuis la fin de mon entraînement.

Plutôt que d'aller dormir, mon ami et moi avons analysé tous mes faits et gestes avec Alexis. Des heures plus tard, nos yeux se sont fermés, après avoir aperçu les premiers rayons du soleil. C'était notre façon de vivre notre congé jusqu'au bout et de repousser le jour fatidique où notre temps serait majoritairement consacré au texte argumentatif, à l'algèbre et aux organes internes du corps humain.

Note à moi-même: ne pas informer Alexis que je suis une ingrate qui se plaint encore de l'école...

: :

Je savais depuis longtemps que la polyvalente n'était pas mon endroit préféré sur terre, mais j'ignorais qu'un autre lieu méritait davantage mon dégoût : le gym ! Afin d'améliorer mes chances de performer dans mon futur sport, toujours inconnu, j'avais décidé de me remettre en forme en faisant quelques arrêts à la salle de musculation. Comme je craignais de me blesser en faisant un exercice sans technique, j'ai demandé à Jo de me guider.

— Tu m'offres quoi en échange ? demanda-t-il.

— Aye ! On va pas faire du troc chaque fois qu'on se rend service.

— Eee... je te ferai remarquer que ça va prendre au moins deux heures de ma vie pour y aller et en revenir.

— Tu fais absolument rien depuis que Sarah-Maude est dans le Sud ! Tu devrais me remercier de te divertir.

Il a tenté d'avoir l'air offensé, sans succès.

— OK... je vais faire ma bonne action de la journée.

Mon grand frère était peu crédible pour simuler la mauvaise humeur. Naturellement jovial, il semblait rarement affecté par les aléas de la vie et la lourdeur de la maison Jutras. Pendant que je m'isolais et que notre cadet tentait de s'imposer auprès de nos parents, Jonathan nous servait un cocktail de légèreté et de désinvolture. J'imaginais à l'occasion que sa joie de vivre était une carapace, fabriquée en réaction à notre environnement familial, mais il adoptait la même attitude à l'école et dans ses activités. Il passait à travers les jours avec une facilité que j'enviais parfois. Cependant, mon aîné avait la fâcheuse tendance à vouloir prouver sa supériorité dans tous les sports, après s'être assuré que ses opposants avaient atteint, sinon dépassé, leurs propres limites. Lors de notre virée au gym, il a utilisé toutes ses astuces pour me sortir de ma zone de confort. Après seulement quarante minutes, j'étais complètement démoralisée. Dans mes oreilles, ses conseils sonnaient comme « tu fais touTe tout croche » et « t'es pas assez bonne ». Je me lamentais, je m'obstinais et je faisais tout à reculons. Bref, j'ai réussi à épuiser la bonne humeur de mon frère.

— C'est quoi ton attitude de marde ?

— Je sais pas ! Je suis fatiguée...

— Ouin, ben tu commences à être fatigante aussi.

Charmante répartie de grand frère.

— Hey ! J'essaie de trouver un sport pour remplacer la musique. Y a juste rien qui fonctionne.

— Pourquoi tu reprends pas la flûte, si ça te manque ?

— C'est impossible... Ce serait comme si je te disais de retourner avec ton ancienne blonde, parce que tu penses à elle, des fois. Même si au fond de toi, tu sais que c'est du passé...

— Ben là, c'est pas pareil ! Je suis avec Sarah-Maude. Je m'en fous des autres !

— Justement, répliquai-je. La musique, pour moi, c'est l'équivalent de ton ex. Et je veux trouver un sport qui me fait l'effet d'une Sarah-Maude.

: :

À force de repenser à mon analogie entre la musique et l'amour, j'ai compris que je vivais l'équivalent d'une rupture. Je ne pleurais pas chaque jour et je n'engloutissais pas des litres de crème glacée comme dans les films, mais j'étais déchirée entre mes souvenirs et ma volonté de tourner la page. Pire : n'ayant jamais vécu de peine d'amour, je ne savais pas comment m'en remettre. La seule solution qui m'apparaissait logique était de m'aérer l'esprit. En ce dernier samedi du congé, je suis donc partie faire une randonnée en raquettes. J'ai franchi quelques mètres derrière la maison avant d'embarquer sur la glace le long de la berge. Après environ trois kilomètres, épuisée par mes courbatures-toujours-pas-disparues-du-ski-de-fond-et-celles-causées-par-la-natation-et-le gym, je me suis écroulée.

Assise dans un tas de neige, je regardais le ciel s'ouvrir devant moi en me rappelant toutes les fois où je me projetais vers l'ailleurs. Pendant des années, j'avais fixé le large avec la conviction que la musique deviendrait le bateau sur lequel je quitterais ma ville natale. Malheureusement, depuis un mois, je ne voyais pas le moindre radeau de pacotille flotter vers mon avenir. Je n'avais aucune autre passion assez forte pour se transformer en carrière. Ma recherche sportive ne donnait aucun résultat et les options se raréfiaient. Depuis mon retour de Vancouver, la seule activité qui avait généré des étincelles en moi se résumait à découvrir les lèvres d'Alexis Séguin. J'étais prête à m'entraîner avec passion pour devenir la plus douée du monde. Par contre, les chances que le Comité international olympique en fasse une nouvelle discipline étaient nulles.

Bon, trêve de questions existentielles. C'est le temps de rentrer…

Dans mon état, je préférais éviter la froideur des Jutras et me réconforter dans la chaleur de la maison Leclair. Plus spécialement dans la chambre noire de Paul, mon refuge. Comme à l'habitude, j'ai descendu l'escalier sur la pointe des pieds, posé l'oreille sur le mur pour vérifier s'il était présent et gratté la porte comme un chat pour l'avertir de mon arrivée. Après lui avoir donné un bisou sur la joue, j'ai posé des écouteurs sur mes oreilles. Le visage d'Alexis est apparu dans mon esprit en écoutant *Pendant que*, une chanson de Gilles Vigneault : « Pendant que les bateaux / Font l'amour et la guerre / Avec l'eau qui les broie / Pendant que les ruisseaux / Dans les secrets des bois / Deviennent des rivières / Moi, moi, je t'aime. » Les métaphores du chansonnier me faisaient voir les contours d'un amour naissant, alors que le reste du monde éclatait et se transformait. Les yeux fermés de longues minutes, peut-être une heure, j'ai senti le parfum de Paul s'installer à mes côtés, jusqu'à ce que mes paupières libèrent une pluie de larmes. La musique avait déverrouillé la porte blindée entre mon cœur et la réalité.

— Qu'est-ce qu'il y a, cocotte ?

Son calme a décuplé mes émotions, comme si le fait de me sentir accueillie me bouleversait.

— J'essaie de me trouver une nouvelle vie, sauf que… j'y arrive pas. Je peux pas reprendre la flûte… Je pensais que le sport était une bonne idée, mais rien m'allume.

— T'en as essayé combien ?

— Deux, cette semaine. Plus le gym. Mais…

Paul m'a coupée.

— T'es déjà prête à abandonner ? D'habitude, tu déplaces des montagnes quand t'as une idée dans la tête.

— Oui, justement, j'ai envisagé plein de sports, et y en a pas un qui m'emballe autant que la musique !

— Peut-être qu'au début, ce sera pas le coup de foudre, mais qu'en pratiquant, tu vas développer un plaisir que t'imaginais pas.

Possible, mais il y a plus…

— On dirait que je ne trouve aucune discipline dans laquelle je suis assez bonne pour devenir excellente.

— As-tu besoin d'être la meilleure pour te changer les idées ?

Un objectif ô combien banal comparé à mes aspirations.

— Non, mais tu sais que je peux pas être une sportive du dimanche. J'ai toujours senti que j'avais le potentiel pour devenir une vraie athlète si je ne faisais pas autant de musique.

— C'est quoi, pour toi, une vraie athlète ?

La réponse allait de soi.

— Une personne qui s'entraîne vraiment fort et qui rêve de participer à des compétitions internationales.

— Donc, si tu peux pas devenir une athlète de haut niveau, ça t'intéresse pas ?

Chacune de ses interventions ébranlait le plan que j'essayais d'élaborer.

— Je pense que non…

— Lilie, je veux pas te dire quoi faire... sauf que si tu cherches une activité pour devenir meilleure que les autres, j'ai peur que tu tombes dans le même panneau qu'en musique.

Et que je me transforme en freak *de la perfection...*

— J'ai toujours aimé la flûte pour vrai! dis-je en essayant de gagner un point dans la discussion.

— Je sais, répondit-il en posant sa main sur mon épaule, mais ton besoin de performer a presque fait disparaître ton amour pour la musique. Imagine à quel point tu pourrais te faire mal en pratiquant une activité seulement pour prouver ta valeur.

— Je vais devenir folle...

: :

Les possibilités de perdre la tête étaient inévitables. Alexis, tout de blanc vêtu, s'avançait nu-pieds sur le tatami et replaçait une mèche de cheveux qui s'était aventurée sur son front, en refermant le haut de son uniforme avec un bout de tissu noir.

— Avez-vous autant de ceintures qu'en karaté? demandai-je pour justifier l'arrêt de mes yeux sur sa taille.

— Ça dépend des pays, mais on a le même nombre en général, répondit-il en souriant à quelqu'un derrière moi. Attends-moi deux secondes, j'ai une surprise.

Il est allé voir une fille pour récupérer un sac et lui donner un câlin. J'étais trop loin pour entendre ce qu'elle lui a glissé à l'oreille, mais j'ai vu Alexis lui décocher un clin d'œil. Elle a réagi en rigolant, pendant qu'il saluait leurs partenaires d'entraînement avec une poignée de main secrète ou un sourire.

— C'est pour toi ! dit-il en me retrouvant. J'ai demandé à Karine si elle avait un ancien kimono à prêter.

— T'aimes pas mon look ? répliquai-je avec ironie, trahissant du même coup mon insécurité.

— Ben non, c'est pas ça. T'es vraiment belle dans ton petit short bleu, sauf que c'est ben mieux si tu vis l'expérience totale.

Je ne doutais pas de son compliment, mais quelque chose me préoccupait. J'ai tenté de dissimuler mon émoi en fouillant dans le sac.

— Pourquoi ma ceinture est blanche ?

— C'est le premier niveau, pour les débutants.

— Ah. OK.

J'ai retraité aux vestiaires avec le désagréable sentiment d'être un bébé sans expérience, contrairement à toutes les Karine du monde qui savent quoi faire pour obtenir des clins d'œil, du haut de leurs seize ans.

Quand je suis sortie, Alexis affichait un air soucieux.

— J'ai dit quelque chose qui t'a déplu ?

— Non, pourquoi ?

— Je sais pas... On dirait que tu t'es fermée quand j'ai dit que t'étais débutante. Tsé, c'est juste un mot. Ça veut pas dire que tu vas être poche.

Arrête donc de t'en faire... Tu vois bien qu'il est super attentif à ce que tu vis !

— Ben non, t'inquiète pas! rétorquai-je en ordonnant à ma face de sourire. On s'en fout si je suis mauvaise!

Il n'en croyait pas un mot.

— C'est vrai! renchéris-je. J'ai décidé hier soir que je pouvais pas prendre le sport au sérieux comme la musique.

— Comment ça?

— Je préfère jouer au football pour le fun avec mes frères. Et nager dans la mer plutôt que de penser à ma technique ou à la quantité de chlore dans la piscine…

— Moi qui pensais qu'on allait se faire des *dates* de redressements assis et boire des *shakes* protéinés.

— Ark! répliquai-je en grimaçant. Ça a donc ben l'air plate, se rendre aux Olympiques!

— Tu viendras m'encourager dans six ans, si tu me trouves encore de ton goût.

Évidemment, il a choisi ce moment pour me faire un clin d'œil.

J'aurais voulu lui reprocher de charmer tout le monde de la même façon, mais mon cerveau était en panne: Alexis m'a proposé de faire un nœud traditionnel avec ma ceinture, ce qui impliquait d'approcher son torse à quelques pouces de ma poitrine, d'installer le tissu dans le bas de mon dos et de passer ses mains près de mon ventre pour nouer le tout, pendant que son odeur de vanille me faisait oublier jusqu'à mon nom. Par la suite, il m'a expliqué les fondements du judo et une série de prises de base. J'essayais de suivre ses directives, mais chaque fois qu'on se retrouvait l'un sur l'autre, je n'avais qu'une envie : l'embrasser. Et peut-être, aussi, lui arracher sa veste blanche entrouverte…

— T'as clairement pas fait un nœud solide avec ton uniforme ! Ça se défait en deux secondes, c't'affaire-là. Tu veux juste que les autres regardent tes abdos !

Il me regardait avec des yeux coquins.

— La seule personne de qui je voulais attirer l'attention, c'est la petite brunette pas mal plus intense que je pensais !

Je lui ai renvoyé un sourire de conquérante, rassurée tant sur mes habiletés de judoka que sur son intérêt pour les autres filles.

— Pis tout le monde est habitué de me voir en *chest* ! ajouta-t-il en riant. Il y a juste toi que ça intéresse.

Plus motivée que jamais, j'ai foncé vers lui. Je brisais probablement toutes les conventions du judo, mais je m'amusais trop pour m'en préoccuper. À sa grande surprise, j'ai réussi à maintenir ses épaules au sol pendant deux secondes. Il s'est dépris en roulant par-dessus moi. Je me suis débattue avec l'énergie du désespoir : ma main droite s'est prise entre sa veste et son épaule, et j'ai tenté de me déprendre en gigotant comme une tortue à qui on aurait volé sa carapace. Jusqu'à ce qu'Alexis lâche un long cri grave et roule sur le côté.

— Oh merde ! criai-je. Ton pied !

— Non…, gémit-il.

Il s'est relevé péniblement. Son bel uniforme blanc était taché de rouge.

— Je t'ai cassé le nez ! ?

6

Est-ce que ça se peut un cerveau qui se brise en morceaux?

La question me titillait depuis des jours.

Lundi, j'étais arrivée à la poly plus tôt qu'à l'habitude pour voir Alexis avant les classes. Ne connaissant toujours pas l'étendue des dégâts depuis que son entraîneur l'avait conduit à l'hôpital, j'étais hantée par l'image de son visage ensanglanté. Après quelques minutes d'attente, il est apparu en claudiquant avec un sourire de vainqueur, un œil au beurre noir gros comme une galaxie et un truc de métal sur le nez qui lui donnait des airs de détraqué d'un film d'horreur.

JE. ME. SENS. FUCKING. *COUPABLE.*

Il disait à qui voulait l'entendre que je l'avais attaqué et qu'il ne sous-estimerait plus jamais les «Gaspésiennes qui ont l'air gentilles». Pétrifiée de honte, je rougissais dès que quelqu'un évoquait notre bataille de la veille. Je ne savais pas ce qui me dérangeait le plus: qu'on me croit dangereuse ou qu'on soit au courant qu'Alexis et moi nous fréquentions.

De nature discrète, je n'étais pas spécialement ravie que la rumeur du jour me concerne.

Et comme il ne se passe pas grand-chose à Matane, ça va probablement durer une semaine...

Le retour en classe m'a frappée de plein fouet. Je ne pouvais plus me lever tard ni passer des journées entières chez les Leclair. Et comme Alexis et moi n'étions pas de la même année, nous pouvions nous voir seulement durant les pauses de quinze minutes en matinée et en après-midi. Il faisait de la musculation tous les midis, et consacrait quatre soirs à ses entraînements et à ses devoirs, en plus de retrouver le tatami un jour par week-end.

On dirait moi, à l'époque où je faisais quelque chose de ma vie...

Pour couronner le tout, les cours que j'avais le privilège de suivre en tant qu'adolescente-occidentale-à-l'abri-des-horreurs-du-monde me semblaient de plus en plus ennuyeux. N'ayant plus de partitions à répéter dans ma tête pour m'évader ni d'objectifs concrets à contempler, lorsque les journées devenaient trop longues, j'avais l'impression d'avoir épuisé mes réserves de motivation, seulement trois jours après notre retour. Ironiquement, la prof de français nous a demandé de lire *Madame Bovary*, un roman de Gustave Flaubert racontant l'histoire d'Emma, une jeune mariée déçue de sa vie prévisible et monotone, qui rêve de mouvements, de galanteries et de luxe.

Moi et une bourgeoise du dix-neuvième siècle = même combat.

De page en page, je ressentais le poids de son ennui résonner en moi. Puisque Alexis s'intéressait surtout à ses muscles et qu'Émile était introuvable – j'avais passé la polyvalente au peigne fin à trois reprises à l'heure du dîner –, je m'étais assise à la cafétéria avec un sandwich, des carottes et les aventures d'Emma Bovary, et j'ai perdu tout contact avec le monde extérieur.

: :

Je me sentais comme une extraterrestre chaque fois que je passais du temps avec les filles que je surnommais les M&M : Marie-Ève, Emma et Magalie. Depuis trois ans, nous partagions plusieurs cours et quelques courtes pauses entre les périodes, en échangeant des banalités, mais depuis la fin de ma carrière musicale, les répétitions du midi avaient disparu et je tentais d'occuper mes midis comme je le pouvais... J'avais beaucoup de mal à suivre leurs discussions. Je ne connaissais pas assez leurs vies personnelles pour comprendre leurs histoires et je n'osais pas les bombarder de questions pour rattraper mon retard.

T'as peut-être pas envie de les connaître, non plus...

J'ignorais si je voulais de nouveaux amis. Depuis dix ans, ma relation avec Émile me comblait, et je n'avais jamais ressenti le besoin de nouer des liens avec d'autres personnes de notre âge. Je chérissais farouchement les moments dans ma bulle et je me satisfaisais de ceux passés avec les parents Leclair et mes frères.

Bref, je suis une fille sans expérience sociale, maladroite et dépourvue de potentiel amical.

Une petite voix me rappelait sans cesse que j'étais inadéquate aux côtés des M&M. Je n'avais aucun potin à partager.

Je connaissais à peine la moitié des films, des émissions et des chanteurs dont elles parlaient. Et, le jour où Emma avait déclaré que *Gilmore Girls* était une série ennuyante et que Lorelaï l'exaspérait, j'avais été incapable de me contenter d'un simple « chacun ses goûts » : je m'étais sentie rejetée. Afin de ne pas répéter l'expérience, je m'étais promis de ne plus jamais aborder le sujet en leur présence et de ne pas dévoiler mon affection pour les vieux chansonniers et la musique *metal.*

Marie-Ève doit penser qu'Éric Lapointe fait du heavy metal.

Autre point problématique, la majorité de leurs conversations tournaient autour des garçons : où ils sont, ce qu'ils disent, qui sort avec qui et qui couche avec qui. Lorsque j'ai entendu Emma raconter que son frère de treize ans avait vécu sa première expérience sexuelle, je me suis sentie à la fois cruellement en retard et soulagée de ne pas avoir déjà affronté ça.

En espérant qu'Alexis ne soit pas trop pressé...

Qu'on me comprenne bien, je ne percevais pas les M&M comme les représentantes officielles des poules pas de tête. Elles étaient divertissantes et continuaient de me considérer comme un être humain fréquentable, même si j'avais refusé au moins quinze de leurs invitations durant les dix-huit derniers mois. Par contre, je vivais mal avec leur habitude de consacrer autant d'énergie aux garçons...

T'es pas exactement mieux, tsé.

Je réfléchissais plus que jamais à la présence masculine dans ma vie et j'adorais débriefer sur ce qui m'arrivait avec le trio Leclair. Néanmoins, je ne m'imaginais pas partager ce que je vivais avec les filles.

— Lilie, dit Magalie entre deux bouchées à la cafétéria, maintenant que t'as une vie, vas-tu *dater* un peu ?

— Ça se peut...

— Il me semble que tu parles plus qu'avant avec Alexis..., renchérit Emma.

Je les ai regardées tour à tour, sans un mot.

— Ouin, poursuivit Marie-Ève, je l'ai même entendu dire que tu lui avais donné un coup de poing.

— Il raconte n'importe quoi, répliquai-je en feignant l'indifférence.

Je refusais de leur dévoiler ce qui naissait entre Alexis et moi. Ne sachant pas comment le décrire, je n'allais certainement pas ajouter leurs analyses à tout ce qui se passait déjà dans ma tête. Pour le moment, le meilleur moyen de les maintenir dans le brouillard semblait de jouer l'innocente et de changer de sujet.

— Je voulais vous demander... Dans dix jours, voulez-vous aller skier ? J'offre la tournée de chocolats chauds !

Si je veux me sentir à l'aise en leur compagnie, un jour, autant commencer dans un univers où je suis bien.

Les filles se consultaient du regard lorsque j'ai vu Émile surgir dans l'un des couloirs traversant la cafétéria. Je me préparais à le rejoindre quand j'ai entendu un gars passer un commentaire en le pointant de la tête.

— *Check* le fif !

Mon souffle s'est coupé. C'était la première fois que j'entendais quelqu'un parler de l'homosexualité prétendue de mon meilleur ami avec mépris. Je ne pouvais pas rester passive.

— Comment tu l'as appelé ?

Éric Landry m'a regardée comme si je venais de m'échapper de l'asile.

— Le FIF ! répliqua-t-il assez fort pour que toute la cafétéria l'entende, y compris Émile.

Son insulte a eu l'effet d'une claque. En quelques secondes, mon ami a disparu de mon champ de vision. Peu importe, je devais le défendre.

— Rends donc service à tout le monde, pis ferme ta gueule ! ripostai-je en tuant son assaillant du regard.

— T'es pas capable d'entendre la vérité ? dit-il avec un sourire suffisant. Tout le monde sait que c't'une crisse de tapette ! On pensait juste que t'étais pas au courant, pis que tu t'essayais sur lui. Ça a l'air que t'aimes mieux le fendant de Québec.

L'idiot du village venait d'insulter Émile et Alexis d'un même souffle.

— C'tu parce que tu sais que tu feras rien de ta vie que tu passes ton temps à chier sur la tête des autres ?

Surprises par la colère dont elles me croyaient incapable, les M&M me regardaient avec effarement.

— Au fond, je devrais remercier ton Alexis, rétorqua-t-il avec ironie. Y en fallait ben un qui se sacrifie pour s'occuper de toi. P'tite farouche mal baisée…

Du haut de mes quinze ans, je ne savais pas si je devais rire ou m'offusquer d'une attaque aussi gratuite. Je me préparais à répliquer quand Emma a posé sa main sur mon bras pour court-circuiter notre engueulade.

— C'est la première fois que je te vois comme ça ! chuchota Magalie.

— Comment ? Avec du caractère ?

— Non… aussi déterminée à protéger Émile, poursuivit-elle.

Je ne voyais pas d'autres réactions possibles.

— Ça fait des mois qu'il se fait écœurer…, précisa Marie-Ève.

Sa phrase me faisait souffrir davantage que les insultes de notre voisin de table. Je n'avais jamais réalisé qu'Émile était la cible d'attaques.

— Sur quoi ? questionnai-je.

— Tu le sais…, dit Emma, mal à l'aise.

— Le monde pense qu'il est gai ?

— Ben… tu dois le savoir, toi ?

Pas officiellement. Pas hors de tout doute. Pas encore…

— On n'en a jamais parlé.

— Peut-être qu'on se trompe, aussi, tenta Magalie.

Peut-être que non. Peut-être qu'il va m'en parler un jour. Et me dire que je suis la pire amie du monde. Le genre à tellement se préoccuper de sa maudite musique qu'elle ignore ses problèmes.

— Je sais pas comment lui demander…, avouai-je, surprise de m'ouvrir aux filles.

Emma a répondu avec bienveillance.

— Mon oncle gai m'a déjà raconté que la pire chose, c'était de forcer quelqu'un à faire son *coming out*.

Il devait avoir raison. Je ne pouvais pas pousser Émile à me révéler une vérité qu'il ne voulait pas encore mettre en mots. Même si la seule réaction que j'imaginais en était une d'acceptation et d'amour inconditionnel. J'avais énormément de difficulté à comprendre comment, en 2006, certaines personnes refusaient d'accepter une différence aussi banale que l'orientation sexuelle.

— J'étais certaine que le monde l'aimait…, ajoutai-je débobinée.

— Ben oui ! réagit Magalie. Il est souvent dans son monde… un peu comme toi. Mais c't'un amour, Émile.

— Vraiment ! dirent Emma et Marie-Ève en chœur.

Comment pouvait-il être à la fois aimé et insulté ? Je n'en avais aucune idée. Mais je savais une chose : j'étais depuis trop longtemps déconnectée du vrai monde… et de mon meilleur ami.

: :

À la seconde où j'ai entendu la cloche annonçant la fin des classes, j'ai foncé vers la case d'Émile. Mauvais *timing*, il franchissait déjà les portes de la poly. J'ai lancé mes cartables au fond de mon sac, enfilé mes bottes sans les attacher et couru vers l'extérieur.

Aucune trace de lui.

Du coin de l'œil, j'ai vu sortir Clara, la seule autre amie de mon voisin. Ils s'étaient rapprochés bien malgré moi au cours des deux dernières années. Comme j'avais été la seule confidente du blondinet depuis le primaire, je ne comprenais pas pourquoi il ressentait le besoin d'ajouter quelqu'un dans sa vie. J'avais d'abord cru qu'il cherchait à combler ce que je ne pouvais pas lui apporter. Dès que je les voyais ensemble, je m'excluais d'une dynamique amicale à trois qui ne me convenait pas du tout. Je préférais rester dans mon coin pour les observer, en tâchant de déchiffrer leurs éclats de rire et la complicité qui s'installait entre eux. J'analysais Clara dans les classes que nous partagions, prête à rapporter le moindre comportement répréhensible dont je serais témoin. Malheureusement, je ne trouvais rien à lui reprocher. Au fil du temps, j'ai compris que cette fille me dérangeait parce qu'elle possédait tout ce que je n'avais pas: une confiance en ses moyens, une facilité à interagir avec les autres et un laisser-aller jamais forcé.

Pire, elle doit avoir des parents affectueux et un talent prometteur...

En vérité, Clara ne méritait pas ma froideur. Elle ne voulait rien d'autre que le bien-être de mon meilleur ami.

Je me suis donc dirigée vers elle pour avoir son opinion, à la sortie de l'école.

— Je peux te parler seule à seule?

Elle m'a souri, en demandant aux deux garçons qui l'entouraient de nous laisser.

— Tu veux me parler d'Émile, toi.

Nous savions toutes les deux que la fin de mon hostilité à son égard ne s'était pas traduite en amitié et que je lui adressais la parole uniquement quand il était question d'école ou de notre ami commun.

— Je m'inquiète pour lui. On dirait qu'il est un fantôme. Je le cherche partout à l'heure du dîner…

— Il va manger dans la classe de techno depuis octobre. Il se faisait trop écœurer.

— Par qui ? répliquai-je, prête à casser quelques nez volontairement.

— Beaucoup de monde

— Mais… il m'a rien dit.

Ce n'était pas exactement vrai. À la mi-décembre, il m'avait confié que plusieurs filles le harcelaient en classe, mais il s'était refermé sur-le-champ. Et je n'avais pas insisté…

— Je pense qu'il est gêné, suggéra Clara. Il veut pas que les gens qui l'aiment sachent qu'il se fait intimider.

J'ai senti mon cœur flancher.

— Il t'en parle, à toi…, formulai-je sans animosité.

— C'est pas pareil. Je fais pas partie de votre clan. Tsé, des fois, il a juste besoin de quelqu'un qui voit ce qu'il est maintenant, et pas ce qu'il a fait, ce qu'il a dit ou ce qu'il est depuis dix, quinze ans.

Émile m'avait un jour expliqué à quel point la vision de Clara lui faisait du bien.

— Tu devrais devenir psychologue.

— C'est le plan, répondit-elle comme si de rien n'était. Je vais étudier en sciences humaines à Montréal dans deux ans et continuer en psycho après.

Pour une fois, je ne ressentais pas de jalousie en constatant que quelqu'un voyait son chemin de vie plus clairement que moi. J'étais soulagée qu'Émile puisse compter sur elle, quand je ne jouais pas mon rôle.

— Merci… d'avoir été une meilleure amie que moi ces derniers temps.

Clara m'a offert un regard plein d'une bonté que je ne méritais pas.

— C'est pas une compétition… mais je comprends ce que tu veux dire. Si ça peut te rassurer, Émile ne s'ouvre jamais autant avec moi qu'avec toi.

Tu dis ça pour me faire plaisir…

— On devrait former une armée pour le défendre contre tous les zouaves de l'école, dis-je à moitié sérieuse.

— Des amazones comme dans *Wonder Woman* ?

Une voix masculine a interrompu notre discussion :

— Vous êtes pas un peu en avance pour parler de l'Halloween, dit Alexis en marchant vers nous.

Son non-verbal indiquait qu'il voulait m'embrasser. Prise au dépourvu, je me suis tournée vers Clara en me défilant avec une réplique idiote.

— Ça serait tellement reposant de faire comme les amazones et de vivre sur une île sans gars…

Alexis a froncé les sourcils, ne captant visiblement pas mon ironie.

— Pourquoi tu dis ça ? répliqua-t-il.

Clara s'est éclipsée en me saluant furtivement.

— Je dis des niaiseries, Alexis…

— Me trouves-tu lourd ?

— Ben non ! Qu'est-ce que tu racontes ?

— Tu t'es retournée à la dernière seconde pour pas m'embrasser. On dirait que je te gêne…

Bon, regarde ce que t'as fait en jouant la sainte nitouche !

— Ben… je sais pas… je pense que… juste un peu ?

Ses yeux sont devenus gros comme des balles de golf.

— Non… c'est pas ce que je voulais dire ! bredouillai-je en maudissant ma tendance à ne pas formuler des phrases complètes en sa présence. Tu me gênes pas. C'est nous deux…

Plus je parlais, plus son front se plissait.

— T'as honte de nous ?

— Nonnnn ! Il n'y a personne d'autre que toi que je veux embrasser. C'est juste que… j'aimerais garder ce qu'on vit entre nous.

Sa tension a diminué d'un cran.

— Pour toujours ?

— J'sais pas… peut-être genre un mois ? J'suis pas prête à m'exposer.

Il a ouvert la bouche de façon exagérée.

— Je savais pas qu'il y avait des étapes à franchir pour t'embrasser en public… T'es comme la version gaspésienne des *Douze travaux d'Astérix*.

Je n'ai pas pu m'empêcher de ricaner.

— T'as trop regardé *Ciné-Cadeau* avant Noël, toi !

— Me le dirais-tu si j'embrassais mal ?

Son ton rieur sous-entendait une inquiétude.

— Bah… j'ai aucun comparatif, alors t'es peut-être vraiment poche, pis je m'en rends pas compte !

— Aye ! Fais pas des blagues avec ça ! Mon estime d'amoureux potentiel est en jeu.

Amoureux. Potentiel. Oh. Mon. Dieu.

: :

Je trottais vers la maison Leclair avec l'urgent besoin de décortiquer ce qui venait de se passer. Je ressentais également le besoin de savoir comment Émile vivait ce qui s'était passé à la cafétéria, mais si j'abordais le sujet de front, les chances qu'il s'ouvre à moi étaient minces. Je me suis donc pointée dans sa chambre avec mon air de fille trop heureuse d'exister, mais soucieuse des complications potentielles avec son presque amoureux. En moins de deux, mon ami m'a posé la question qui tue:

— Veux-tu ben me dire pourquoi ça te gêne que le monde sache ce qui se passe avec Alexis? Ça fait quinze ans que t'es perdue dans le désert du célibat. Il me semble que moi, si j'apercevais une oasis, je me garocherais sans réfléchir!

— Peut-être que je préfère tremper le gros orteil dans l'eau avant de me lancer…

— Donc, t'es pas certaine d'être bien avec lui et tu veux du temps pour vérifier avant que l'école soit au courant?

Sa question m'a fait l'effet d'un électrochoc.

— Non! Je trouve seulement ça plus beau de penser qu'on est les seuls à savoir ce qu'on vit.

Occupé à manger un pot de yogourt en entier, Émile a suspendu sa cuillère en l'air avant de s'exprimer.

— Je te crois pas. C'est une réponse toute faite, ton affaire. Je suis sûr qu'il y a autre chose…

Il dissimulait mal un sourire.

— Tu m'énerves! C'est juste que… j'ai peur qu'il réalise dans deux semaines que je suis pas intéressante. Je m'arrange pour que personne soit au courant, en attendant de voir s'il va décamper.

— T'auras juste à le rattraper et à lui casser une jambe pour l'empêcher de fuir! dit Émile en riant. Il paraît que t'es bonne pour briser des os!

J'étais outrée et amusée qu'il fasse une telle blague.

— J'ai pas cassé son nez ! C'était seulement une... grosse fêlure. Pis, je veux pas lui courir après. C'est censé être naturel, ces affaires-là.

— Lilie Jutras... Alexis te trouve de son goût depuis des mois et il a dit qu'il était un « potentiel amoureux », pas plus tard que tantôt. De quoi t'as besoin pour te calmer ?

De ne plus croire qu'un gars aussi parfait mérite mieux qu'une fille sans avenir...

— Je sais pas, mentis-je pour ne pas approfondir.

Durant le flottement qui a suivi, je me suis souvenue de la suite de mon plan : découvrir ce qui se passait avec Émile. Puisque je n'étais pas prête à plonger dans une nouvelle joute verbale, qu'il gagnerait assurément avec ses esquives et ses arguments béton, j'ai pris un détour pour atteindre mon but.

— Les filles m'ont parlé de toi...

Il a plissé les yeux, serré la mâchoire de façon à peine perceptible et simulé un intérêt limité.

— Les M&M ? Tu disais pas qu'elles étaient comme les bonbons : divertissantes, mais pleines de calories vides ?

— Oh mon Dieu ! Je suis donc ben une personne horrible ! Elles sont vraiment pas si pires...

Qui essayais-je de convaincre ? Peu importe, je devais poursuivre mon investigation.

— Elles m'ont raconté qu'Élodie te trouvait pas mal de son goût.

Il m'a regardée avec autant de curiosité que mon père en parlant de musique.

— Ouin, pis ?

Émile se foutait-il d'apprendre qu'Élodie en particulier avait un œil sur lui ou démontrait-il une absence d'intérêt pour toute forme d'attention féminine ?

— Tu sais bien que c'est pas avec quelqu'un comme elle que je veux frencher !

Le sous-entendu de son « quelqu'un » ne m'a pas échappé. J'étais presque certaine d'avoir raison.

— En tout cas, si Élodie t'intéresse pas, je peux demander à Emma s'il y a d'autres filles qui pensent à toi.

— Bof...

J'ai rarement déduit autant de choses grâce à si peu de lettres.

7

La sortie de ski avec les M&M m'a confirmé que nous ne deviendrons jamais de grandes amies. Pour la première fois depuis le début du secondaire, je passais plus d'une heure en leur présence, à l'extérieur de l'école. Elles étaient gentilles, mais je ne cadrais absolument pas dans leur groupe. Alors qu'elles consacraient leur temps à reluquer les beaux gars sur la montagne, avec un ratio d'une descente pour vingt-trois commentaires peu pertinents, je rêvais de dévaler les pentes comme je le faisais avec mes frères: casse-cou, nous enchaînions des cascades aux limites de la légalité sans voir le temps passer. À l'opposé, Marie-Ève, Emma et Magalie descendaient comme des petites vieilles craignant de se briser une hanche. Peu douée pour dissimuler mon exaspération, j'ai inventé une excuse afin de m'isoler un peu. J'ai fait une dizaine de descentes, avant de réaliser que le plaisir n'était pas le même en solo… Je me suis donc installée dans le chalet et j'ai commencé un roman que la prof de français m'avait suggéré: *Le roman de Sara,* d'Anique Poitras.

— C'est un roman pour ados ultra-populaire depuis au moins dix ans, m'avait-elle expliqué. Je pense que tu vas aimer ça. Tu me fais penser au personnage principal.

Curieuse, j'ai entrepris ma lecture pendant que mes amies-à-temps-partiel papotaient à l'extérieur. En quelques pages seulement, j'ai compris ce que mon enseignante voulait dire. Sara faisait preuve de caractère, tout en demeurant généralement secrète. Elle était hypersensible et aussi passionnée par le théâtre que je l'étais par la musique. Cela dit, je ne pouvais pas envisager d'affronter le drame qui la frappe au début de l'histoire: la mort de son amoureux... Je m'étais rapprochée d'Alexis il y a seulement un mois. Pourtant, le seul fait de l'imaginer disparaître de façon aussi dramatique me mettait dans tous mes états.

: :

Je lisais aux côtés d'Émile, pendant qu'il faisait le tri des photos récoltées avant le brunch dominical. Il analysait son matériel avec une concentration de tous les instants. Comme s'il contemplait amoureusement le fruit de son travail. Je savais que sa passion pour la photo le faisait vibrer plus que tout, mais je me demandais s'il aurait bientôt la chance de palpiter à son tour pour un être humain. Puisqu'aucun élève de la polyvalente ne s'affichait ouvertement gai et que la Gaspésie n'était pas reconnue comme un havre d'ouverture à la différence, il devrait sans contredit faire preuve de patience. Néanmoins, j'espérais qu'il n'attende pas de quitter la région, au terme de sa technique en photographie, pour vivre ses premiers émois.

À dix-neuf ans...

Ma réflexion a fait naître une pensée qui n'avait jamais traversé mon esprit : je ne savais pas quel genre de gars l'intéressait. Quelqu'un au tempérament artistique comme le sien ? Un intello qui stimulerait sa curiosité ? Certainement pas un sportif qui passerait les trois quarts de ses temps libres à l'aréna ou au gym. Émile avait autant d'intérêt pour l'activité physique que moi pour la mécanique.

Quoique... l'été dernier, il a regardé pas mal longtemps le magazine L'actualité, *avec Alexandre Despatie sur la page couverture.*

— Lilie ! lança la *mamma* de la cuisine. Tes parents viennent d'appeler. Ils veulent que tu rentres souper. Ils ont quelque chose à te dire.

— Ils ont enfin décidé de renier leurs droits parentaux et de vous laisser m'adopter ?

Je me trouvais très drôle.

— Ça expliquerait sûrement l'enveloppe pleine d'argent que ton père nous a laissée hier, répliqua Maude.

Émile est sorti de sa bulle pour commenter le tout.

— J'ai hâte de savoir combien tu vaux, dit-il. Sûrement pas plus que deux mille piastres !

Je lui ai donné un coup d'oreiller derrière la tête.

— Quoi ? rétorqua-t-il. On parle quand même d'El Cheapo et d'El Cheapette !

: :

Mon ami n'était pas si loin de la réalité. Après un repas fidèle aux traditions des Jutras – chacun se concentrait sur la nourriture et échangeait des banalités –, mes parents m'ont soudainement accordé un peu trop d'attention.

— Les gars, allez jouer au hockey dehors, demanda mon père. Il faut qu'on parle à votre sœur.

— Ben là ! s'insurgea Jérémie. Il fait moins mille !

— Ouin..., renchérit Jonathan. On pourrait aller au sous-sol et faire comme si on n'écoutait pas. On est vraiment bons là-dedans.

La bonhomie de mon aîné ne semblait pas divertir papa.

— Dans trois minutes, je veux pus vous voir, répondit-il.

Les garçons ont pris tout leur temps.

— Lilie, articula Jo sur un ton solennel, je voulais juste dire que... c'était un plaisir de te connaître.

Ils ont éclaté de rire en refermant la porte.

— Bon, lâcha ma mère. Ton père pis moi, on a réfléchi depuis que t'as arrêté la musique.

Évidemment, j'oubliais que c'était votre avenir qui s'était écrasé à l'autre bout du pays...

— C'est pas bon que t'aies autant de temps libre, ajouta papa. Ce serait le temps que tu te trouves une job.

Euh, quoi ?

— À temps plein ? répliquai-je éberluée. Vous voulez que je lâche l'école !

Ils se sont regardés, l'air de dire « qu'est-ce qu'on a fait au monde pour avoir des enfants de même ? ».

— Nonnn, Lilie, on t'encourage pas à décrocher à quinze ans ! s'exclama ma mère. On veut seulement que tu fasses dix ou quinze heures par semaine.

Comme je les connaissais, ce n'était malheureusement pas une mauvaise blague.

— Si c'est à cause de l'argent pour Vancouver, je vais vous rembourser en travaillant l'été prochain.

— On veut pas ravoir notre argent, dit mon père. On veut économiser.

El Cheapo et El Cheapette dans toute leur splendeur.

— Dans quelques mois, précisa maman, on va te demander de payer ton linge et tes sorties.

Je les ai regardés à mon tour comme s'ils étaient débiles légers.

— Hein ? Je dépense genre quinze dollars en bonbons et en chocolats chauds par mois. Et je suis probablement la fille qui a le moins de vêtements neufs de l'école. Je dois pas vous coûter si cher que ça !

— Tu mettras de l'argent de côté, d'abord, riposta mon père en sous-entendant que je débattais trop à son goût. Ça peut juste t'aider à payer tes études.

— Il me reste encore deux ans et demi au secondaire… Pis, je vais probablement être pognée ici pour faire mes sciences humaines. Je vois vraiment pas c'est quoi l'urgence !

Ma mère s'impatientait.

— On est tes parents, et c'est notre rôle de t'aider à prendre tes responsabilités !

Assurément l'argument le plus surutilisé pour obliger des enfants à exécuter des tâches inutiles, comme faire leur lit, sortir les vidanges, faire marcher le chien et économiser pour des dépenses quasi inexistantes...

— À ton âge, reprit-elle, si j'avais su que j'allais accoucher d'un bébé quatre ans plus tard et que j'achèterais une maison avec ton père, j'aurais aimé ça avoir des économies. Tu devrais nous remercier au lieu de chialer.

Son ton sec de madame coincée me mettait hors de moi.

— Tu sauras que mon objectif de vie, c'est clairement pas de te ressembler !

— Aye, ça va faire les enfantillages ! s'emporta mon père. Tu t'achèteras une robe, du rouge à lèvres ou une flûte traversière à mille piastres si tu veux, mais tu le feras plus avec notre argent !

Il venait de résumer sa vision réductrice des intérêts féminins, son incapacité à réaliser que chaque mention de la musique me faisait l'effet d'une grafigne sur le cœur et sa relation tordue avec l'argent.

— C'est ça..., ripostai-je, je vais perdre une partie de ma vie à faire une job de merde pour un salaire de crève-faim, pour que vous dormiez mieux en économisant quatre cents piastres par année, en vous donnant l'illusion que je vais devenir plus autonome, parce que je place des niaiseries sur des tablettes dans une pharmacie. Dans le fond, vous faites ça juste pour vous autres !

Mon père s'est levé d'un coup, en laissant sa chaise tomber à la renverse.

— Dans ta chambre, tu'suite ! beugla-t-il.

— Oh, la belle punition prévisible..., répliquai-je frondeuse. Voulez-vous que j'enlève la porte moi-même cette fois-ci ? Ou bien vous pensiez fermer le chauffage pour économiser VOTRE argent ? Tsé, faudrait surtout pas trop dépenser pour la fille qui s'adonne à avoir le même nom de famille que vous...

J'atteignais des sommets d'effronterie, persuadée que je n'avais plus rien à perdre.

Le drame de ma vie...

Je n'étais rien d'autre qu'une ado allant à l'école et n'ayant aucune activité dont ses parents pouvaient la priver.

— Tu cherches une job cette semaine, martela ma mère. Fin de la discussion.

Après avoir soupiré bruyamment, je me suis dirigée vers ma chambre. Étendue sur mon lit, j'ai dressé la liste mentale des raisons pour lesquelles je détestais mes parents.

Ça peut durer longtemps...

Trente minutes plus tard, je n'en pouvais plus d'être de mauvaise humeur et j'ai identifié une raison de sourire : Alexis.

Il était temps qu'on se revoie.

: :

Tout ce temps perdu, ces occasions manquées. Presque dix semaines s'étaient écoulées depuis son retour au Québec. J'avais osé reporter nos retrouvailles pour ce qui m'apparaissait aujourd'hui comme des futilités : un premier vol d'avion, une compétition ayant le potentiel de changer ma vie, mon quinzième anniversaire, la rencontre des lèvres d'Alexis Séguin, le temps des fêtes, une carrière sportive morte et sans potentiel de réanimation, les difficultés de mon meilleur ami, le choc d'apprendre que j'étais assez vieille pour me faire exploiter par une entreprise privée…

Tout cela n'aurait jamais dû me tenir à distance de l'amour de ma vie, un adolescent de quatorze ans qui me hantait depuis des années. Le 18 novembre dernier, le quatrième film inspiré des aventures de Harry Potter était arrivé dans les cinémas nord-américains et, deux mois plus tard, je m'installais ENFIN pour visionner l'adaptation de *La Coupe de feu,* aux côtés d'un autre retardataire : le p'tit Roumain.

Fin renard, Alexis m'avait suggéré de le retrouver chez lui pour s'assurer qu'aucun regard ne me mettrait mal à l'aise quand, assis sur les marches extérieures, il m'accueillerait d'un baiser.

— Salut, dit-il en gardant son visage à trois centimètres du mien.

— Allô, répondis-je en souriant des yeux. Est-ce qu'on t'a déjà dit que tu avais un joli nez ?

Il était enfin débarrassé du truc horrible que le médecin lui imposait depuis plus de deux semaines.

— Toutes les filles m'en parlent… C'est épuisant ! Je dois toujours leur expliquer que je m'intéresse seulement à celle qui sait comment le fêler.

Je lui ai donné un coup du revers de la main, partagée entre le rire, la gêne et un sentiment étrange.

— Que je te voie faire du judo, le kimono à moitié fermé, avec toutes celles qui te font des beaux yeux !

Je grognais intérieurement, après une simple blague sur de fausses prétendantes.

— Ouh ! Madame serait-elle jalouse ?

Madame démontre autant de maturité qu'une fillette qui refuse de partager ses jouets avec les enfants au parc…

— Pas du tout, répliquai-je en tentant de rester légère. Si tu me laisses fantasmer sur les acteurs qui jouent Harry et Cedric Diggory, tu peux décevoir tes admiratrices avec les mots de ton choix.

Voyant que nous prenions une tangente potentiellement dommageable, Alexis a pointé la tête vers le centre-ville pour m'inviter à marcher. Sans trop savoir pourquoi, j'ai eu envie de lui tenir la main en public. Était-ce un moyen de prouver au reste de la ville qu'il n'était plus disponible ou le résultat de notre complicité grandissante ? Je n'en savais rien. Par contre, je n'ignorais pas les regards qui se posaient sur nous. Une partie de moi avançait fièrement dans les rues en se sachant accompagnée d'un garçon magnifique. Une autre imaginait que les passants se demandaient pourquoi Alexis s'intéressait à une fille dans mon genre.

À quel âge on arrête de douter de soi?

Dès le générique d'ouverture, j'ai partagé mon attention entre le film que j'attendais depuis longtemps et le comportement d'Alexis. Mes yeux se posaient sur le maïs soufflé qu'il mangeait frénétiquement, la main qui faisait des aller-retour vers sa bouche et ses doigts loin des miens. À notre arrivée, j'avais placé un bras sur l'accoudoir que nous partagions pour voir ce qu'il ferait. Le tissu de son chandail touchait la peau de mon avant-bras, mais il avait laissé ma main orpheline. Une fois encore, ma machine à scénarios s'est emportée. J'ai pensé qu'il regrettait d'avoir exposé notre fréquentation au vu et au su de tous, même s'il l'avait d'abord souhaité. J'ai imaginé que mes mains étaient moites, rudes ou puantes. Et cru qu'il était le genre à visionner un film en n'acceptant aucune distraction: ni paroles, ni bataille de maïs plein de beurre, ni taponnage de mains.

En tout cas, avec Émile, je peux faire toutes les niaiseries que je veux sans que ça dérange…

À cet instant, mon cerveau m'a envoyé un électrochoc pour me faire réaliser deux choses: mes réactions n'étaient basées sur aucun fait vérifié ET rien n'obligeait les garçons à effectuer les premiers pas. J'ai donc choisi d'amorcer le mouvement. Avec ma subtilité des grandes occasions, j'ai fait semblant de gratter mon mollet pour avoir une raison de replacer mon bras, en laissant mon petit doigt frôler le sien. Cinq minutes plus tard, voyant qu'il ne réagissait pas, j'ai déplacé mon auriculaire et le quatrième-doigt-dont-tout-le-monde-oublie-le-nom sur sa main. Sa tête s'est tournée de quelques degrés dans ma direction, sans laisser ses yeux croiser les miens. Après dix longues minutes, il a mêlé ses doigts aux miens.

V-I-C-T-O-I-R-E.

Excitée comme une puce, j'ai savouré chaque minute comme si elle m'apprenait quelque chose de nouveau sur la vie. J'appréciais sa chaleur, le chatouillement de son majeur dans ma paume et le plaisir, simple mais incomparable, d'être au cinéma main dans la main. J'assistais avec insouciance à la mort de Cedric Diggory et à la bataille entre Voldemort et Harry.

Avant la fin du film, ma respiration s'est coupée quand Alexis s'est rappelé qu'il avait besoin de sa main pour récupérer son foutu sac de maïs au sol. Fébrile mais attentive au mouvement qu'il allait faire ensuite, j'ai senti avec soulagement le retour de sa peau contre la mienne.

Lorsque nous sommes sortis du cinéma, un mur de froid nous a souhaité « bon retour dans le vrai monde ».

— T'as envie d'aller manger ? demanda-t-il.

J'ai hoché la tête de haut en bas, incapable de desserrer mes lèvres pour parler. Cinq minutes plus tard, j'ai senti une vapeur de friture nous réconforter. Nous avons convenu de partager une poutine, un hot-dog et une liqueur, petit festin dont j'ai finalement englouti les deux tiers.

— Merci de m'aider à ne pas trop manger, belle affamée, dit-il avec sa façon bien à lui de s'exprimer.

— Ça me fait plaisir de vous donner l'impression que vous êtes un athlète discipliné, jeune homme.

Il me regardait interloqué, lorsque j'ai continué :

— T'as quand même bouffé un méga sac de popcorn au complet, tantôt…

Un air boudeur s'est affiché sur son visage.

— T'as pas le droit de me rappeler que je suis un glouton. Aide-moi à maintenir mes illusions, *please* !

— Justement, je me demandais à quelle heure tu te couchais, le soir, pour imaginer que t'es un sportif sérieux.

J'ai regardé l'horloge du restaurant avec un air faussement sévère.

— J'ai encore deux ou trois heures devant moi, répondit-il. Si tu veux venir chez moi, on serait tranquilles. Pis on pourrait faire autre chose que de jouer avec nos auriculaires…

J'avais du mal à déchiffrer les intentions dans sa voix : m'exprimait-il une insatisfaction ou l'envie d'aller plus loin ?

— Ça t'agaçait, tantôt ?

J'espérais qu'il n'annonce pas déjà la fin des cinémas aux doigts enlacés.

— Pantoute ! Je me suis retenu de t'embrasser durant deux heures trente-sept minutes. J'ai vérifié ma montre…

Fin finaud.

— Pourquoi tu l'as pas fait ? Ça a tout pris pour que tu me prennes la main. J'étais sûre que ça te gossait…

Il me toisait, l'air de dire : « TU. ME. NIAISES. »

— Lilie… tu m'as expliqué que t'avais besoin d'au moins un mois avant d'être à l'aise avec l'affection en public ! J'ai pensé que je te laisserais venir vers moi et que ça changerait sûrement avec le temps.

— Ben là ! On était dans le noir, pis je connaissais personne !

Je lui avais répondu en me retenant de rire, consciente que mes arguments ne tenaient pas la route et que j'avais angoissé pour rien.

— Pour me venger de la torture que tu m'as infligée, répliqua-t-il, je devrais t'embrasser ici, en pleine lumière !

J'avais incroyablement envie qu'il se venge, mais comme j'avais reconnu en entrant une dame avec qui ma mère fait du bénévolat, je me suis retenue de l'encourager.

— Pis moi, je devrais te menacer de ne pas t'embrasser d'ici à ce qu'on revienne manger de la *junk* ensemble !

Il a exagéré sa stupéfaction.

— Es-tu en train de me dire que tu veux me priver de nourriture grasse pendant des mois pour que je reste mince et que tu te tiens avec moi juste pour mon corps ?

Mon cerveau traitait beaucoup trop d'informations à la fois : son idiotie, son joli minois et l'impression qu'il y avait un fond de malaise dans sa réplique absurde.

— Je te rappelle que je t'ai embrassé la première, quand tu portais un gros manteau d'hiver qui cachait tes abdominaux. Tes phrases de charmeur avaient déjà fait le travail…

Malgré la légèreté de ma réponse, il semblait douter.

— Hmm.

— Pardon ? relançai-je. Depuis quand t'as pas une réplique de feu pour me répondre ?

Je n'arrivais pas à déchiffrer ce qui se produisait.

— Depuis que…, débuta-t-il avant de se raviser. Non rien.

Un voile de tristesse s'est déposé devant ses yeux.

— Tu penses quand même pas que j'aime te voir juste parce que t'es beau ?

Il m'a souri avec connivence.

— Il me semble qu'on fait beaucoup d'efforts pour ne pas nommer l'évidence…

— C'est-à-dire ?

— Je suis prêt à t'embrasser dans le noir autant que tu veux, mais j'ai le goût de dire que t'es ma copine. Et… je pense que toi aussi.

Les adjectifs « écarlate » et « cramoisi » ne suffisaient pas pour décrire l'intensité de ma réaction.

— T'as raison. J'ai demandé à mon notaire de préparer un contrat le jour où je t'ai embrassé, Alexis Séguin.

— Ce qui est l'fun, c'est que tu fais référence à notre premier baiser tellement souvent que je peux même pas douter qu'on a vraiment aimé ça tous les deux.

— Alors, pourquoi j'ai l'impression que tu doutais de mon intérêt, tantôt ?

Sa tentative de diversion n'effaçait pas ce que j'avais senti.

— Lilie…

Je percevais un trouble dans tout son être.

— Je peux éviter de parler de ta belle face et te casser les oreilles avec toutes tes autres qualités, si tu veux…

— C'est pas tant une affaire de beauté…, dit-il avec hésitation. Ben un peu… mais… surtout, de santé physique.

Chacun de ses mots pesait une tonne.

— Je comprends pas…

— Disons que… on m'a déjà fait comprendre que… que j'étais pas assez… costaud.

— Ton entraîneur t'a dit ça? relançai-je incrédule. Pourtant, t'as l'air aussi musclé que le jour où je t'ai rencontré.

— C'est compliqué… Et je…

— T'es pas le seul qui a du mal à aborder certains sujets, dis-je pour lui enlever l'épine du pied. Tu m'expliqueras un jour. Si tu veux…

— Promis. J'en ai parlé à personne ici… sauf à mon coach.

Je percevais de plus en plus ce qui se tramait en lui, sans arriver à tout comprendre: à l'instant, j'avais l'impression qu'un bloc de glace obstruait mes organes internes…

Qu'est-ce que ça veut dire? Une tumeur? Un virus?

À l'exception du nez que je lui avais fêlé et de la cheville qu'il s'était tordue quelques semaines plus tôt, mon judoka préféré semblait pétant de santé. S'il avait une autre maladie grave, jamais son club ne l'aurait laissé s'entraîner avec autant de vigueur. Sans oublier que sa mère était médecin.

— Faut pas que ça t'inquiète, reprit-il en voyant que je ne prononçais plus un mot.

— Je m'inquiète pas, mentis-je. Je suis juste en train de m'habituer à dire que je suis ta « blonde ».

Ses yeux se sont illuminés et il s'est approché doucement. Lorsque ses lèvres se sont posées sur les miennes, j'ai senti des traces du bouillonnement intérieur qu'il tentait de cacher. J'ai tenté de faire comme si de rien n'était et de me concentrer sur mon premier *french*…

: :

— Attention, les enfants !

En voyant que nous avions déchiré sa pâte à tarte pour la deuxième fois en quinze minutes, la grand-maman d'Émile nous a ramenés à l'ordre avec un ton plein d'amour. J'avais été invitée dans la cuisine de Jacqueline pour l'aider à accomplir l'impossible, et non pour la ralentir.

— Excusez-moi, madame Cournouailler ! C'est la faute de votre petit-fils. Il arrête pas de me déranger.

La veille, mon meilleur ami m'avait expliqué que sa grand-mère participait au concours de la meilleure tarte de Matane. Chaque participant devait cuisiner dix tartes que les clients du centre commercial pourraient goûter et noter. Même si elle était blessée à une main, Jacqueline refusait de manquer une occasion de démontrer ses talents culinaires. Elle a donc fait appel à nous pour l'aider.

— Pfff! répliqua Émile. C'est toi qui frenches tout le monde! Moi, je fais juste réagir à tes histoires…

Son grand-père s'est étouffé dans sa pipe au salon. J'étais morte de honte.

— J'ai seulement frenché Alexis, niaiseux!

Évidemment, il fallait que je me justifie.

— Bah, on sait jamais, riposta Émile. Peut-être que c'était poche pis que t'as essayé avec d'autres.

— Émile! dit sa grand-mère en rigolant.

J'étais ébahie par la désinvolture des grands-parents d'Émile. Contrairement aux miens, quatre personnes dont les valeurs étaient encore figées au dix-neuvième siècle, Maurice et Jacqueline étaient les représentants de la coolitude. Leur seul défaut se résumait à l'entêtement avec lequel ils rêvaient que leur unique petit-enfant reprenne leur ferme un jour, soit la probabilité la plus faible de l'histoire. Pourtant, Émile n'était pas dénué de talent sur le plancher des vaches: même s'il détestait les sports et qu'il avait autant de muscles qu'un poulet qui a jeûné, il possédait plus d'habiletés sur une ferme que je n'en aurais jamais. Par contre, sa passion pour la photo était un milliard de fois plus forte que son intérêt pour la vie de fermier. Et jamais personne ne lui imposerait une carrière qu'il ne désirait pas.

— C'était vraiment l'fun, si tu veux tout savoir, répliquai-je devant l'air satisfait de mon meilleur ami.

Je préférais lui partager l'impression globale positive, plutôt que l'effet de surprise lorsque Alexis avait chatouillé le bout de ma langue avec la sienne. Complètement déstabilisée, ne sachant ABSOLUMENT pas quoi faire et maudissant le fait que personne ne m'avait appris à frencher, je me suis dit que la meilleure réaction était d'imiter peu à peu ses mouvements et d'y inclure ma touche personnelle.

— J'espère juste que vous allez pas vous licher la face à l'école devant tout le monde ! ajouta Émile.

J'ai soupiré en hochant la tête.

— Pas de danger que ça arrive !

— Ah oui, j'oubliais que madame est prude…

Sans réfléchir, j'ai saisi l'assiette qui se trouvait devant moi et j'ai anéanti une tarte sur son visage !

Boom !

La peau tachée de rouge et les cheveux pleins de pâte, Émile s'était tourné vers moi, incapable de croire que j'avais fait ça. Partagée entre la fierté et la peur d'être réprimandée par sa grand-mère, j'ai vu Jacqueline retenir un sourire et lever une main, comme si elle disait « je me mêle pas de ça ». Soulagée, j'ai éclaté d'un grand rire.

— Je suis pas prude ! J'ai juste pas besoin de me montrer.

Comme il ne pouvait pas se venger en démarrant une bataille de bouffe sans se faire gronder, Émile a utilisé son doigt pour faire passer des framboises de sa joue à sa bouche et il a retrouvé son sourire au passage.

— De toute façon, la moitié de l'école imagine que vous êtes ensemble. Surtout avec la façon dont tu le regardes…

— C'est pas grave, répondis-je calmement. C'est quand même rendu vrai…

Les yeux de mon ami se sont transformés en billes géantes.

— T'es sérieuse ! ?

: :

Je n'avais pas la moindre idée de ce qui m'arrivait. Pendant que la professeure de mathématiques se pâmait sur les hypoténuses et les angles droits, une douleur fulgurante a surgi dans mon ventre. J'étais presque certaine qu'il ne s'agissait pas de crampes menstruelles : j'avais eu mes règles deux semaines plus tôt et mon cycle était régulier. La sensation ressemblait à une brûlure, comme lorsque la peau était exposée trop longtemps au froid.

— Lilie, chuchota Magalie à mes côtés, ça va ? T'es blême !

— Ça va…

Mon inconfort était apparu quand j'avais aperçu Alexis à la fin de l'heure du lunch, le regard soucieux, alors qu'il dévorait des légumes en vitesse. Cela s'était transformé en douleur, lorsque j'avais tenté de trouver ce qui lui arrivait par la suite.

— Qu'est-ce que t'as ? demanda Emma derrière moi.

Je me suis tournée en mettant une main sur mon ventre, sans dire un mot.

— Veux-tu un Tylénol ?

Notre professeure a choisi ce moment pour intervenir.

— Les filles, j'essaie d'expliquer quelque chose, et vous empêchez les autres de comprendre.

Autour de nous, mes collègues luttaient contre le sommeil. Je n'ai pas pu retenir un soupir.

— Avez-vous quelque chose à ajouter, mademoiselle Jutras ?

Son regard s'est planté dans mes yeux à la seconde où mon ventre a été pris d'une douleur vive. Agacée, je n'ai pas pu m'empêcher de répondre.

— Premièrement, ça se dit pas « mademoiselle ». C'est discriminatoire !

Toute la classe s'est réveillée d'un coup.

— Je ne vois pas ce qu'il y a de mal là-dedans, répondit la prof. Et, je vous ferais remarquer que…

— C'est une expression du moyen-âge ! répliquai-je. Quand vous parlez à Philippe ou à Julien, vous dites monsieur, pas damoiseau comme dans le temps.

La veille, j'avais lu un article vulgarisant l'évolution du terme « mademoiselle ». J'ignorais que son usage était inapproprié il y a moins de vingt-quatre heures, mais je n'allais pas manquer l'occasion de remettre notre prof à sa place.

— Au dix-huitième siècle, repris-je, on utilisait « mademoiselle » pour faire comprendre aux gens que les femmes étaient célibataires. Le monde disait ça pour parler des vierges ou des filles à marier, prêtes à avoir des enfants…

Le mot « vierge » a suffi pour que le quart de la classe ricane. Je m'apprêtais à enfoncer le dernier clou :

— J'aimerais ça que mes profs parlent de moi autrement qu'en faisant référence à mon potentiel reproducteur !

La prof était estomaquée, alors que les élèves faisaient du chahut.

— Calmez-vous ! exigea-t-elle. Vous savez très bien que ce n'était pas mon intention, Lilie. Vous faites seulement votre intéressante pour déranger.

— Ben oui, je suis reconnue pour être turbulente...

Mes profs me reprochaient souvent de ne pas participer en classe et me désignaient comme un ange silencieux.

— Ça suffit ! Prenez vos affaires et allez chez le directeur !

— Avec plaisir ! Je vais pouvoir lui expliquer que vous m'accusez d'empêcher les autres de comprendre vos cours plates et que vous faites reculer la cause du féminisme de deux cents ans !

Elle m'a suivie jusqu'à la porte, pendant qu'un des élèves m'applaudissait. Je me suis présentée à la secrétaire du directeur et j'ai patienté au local de suspension, jusqu'à ce que la prof de maths se pointe, accompagnée de son patron et de la psychoéducatrice. Je trouvais qu'on donnait beaucoup trop d'importance à une altercation somme toute assez banale, comparée aux crises dont j'étais souvent témoin à la polyvalente.

On dirait que je suis une vendeuse de drogue ou que j'ai battu un autre élève jusqu'au sang...

La psychoéducatrice m'a demandé de leur donner ma version de l'histoire. J'ai pris soin d'expliquer que mes amies s'inquiétaient pour moi, parce que j'étais pâle et que j'avais des crampes aiguës. Automatiquement, la tension a diminué d'un cran dans la pièce. Sachant que j'avais attaqué la professeure sur son vocabulaire antiféministe, ses collègues pouvaient difficilement rester indifférents à ce qu'ils associaient sûrement – à tort – à de simples « crampes de filles ».

Il y a quand même quelques avantages à ne pas être un gars...

Par la suite, j'ai raconté que la prof était intervenue en m'accusant de manière injuste et que je m'étais emportée. Les deux observateurs semblaient sympathiques à ma cause, mais mon opposante ne dérougissait pas. J'ai alors utilisé ma dernière carte.

— Je suis désolée d'avoir dit devant tout le monde que ses cours étaient plates...

Je fixais le directeur, sans me préoccuper de son employée.

— Je peux comprendre que vous n'aimiez pas toutes les matières, dit-il, mais votre enseignante mérite le respect.

— C'est vrai, répondis-je calmement, mais moi aussi, je mérite le sien. Et c'est pas en nous replongeant au moyen-âge et en m'accusant de nuire à toute la classe, alors que je suis probablement la fille la plus calme du groupe, que je vais me sentir respectée.

Je savais pertinemment que j'aidais ma cause en ramenant sa maladresse dans la discussion. Personne n'oserait me contredire.

— On a tous appris quelque chose aujourd'hui, précisa la psychoéducatrice. Mais, il y a quelque chose que je ne comprends pas: on n'a jamais eu de plainte à votre sujet en trois ans, et aujourd'hui…

Je les ai observés en soulevant les épaules, avant que le directeur tente une hypothèse.

— Ma secrétaire m'a fait remarquer que vous n'utilisiez plus, depuis deux mois, le local pour vos répétitions à l'heure du midi. Tout va bien de ce côté-là?

Mon corps frémissait de colère. Je détestais qu'un inconnu me lise aussi facilement. Et je n'aimais pas du tout qu'on me parle de musique, alors que j'avais réussi à ne pas penser à ma flûte depuis une semaine.

— J'ai rien à dire là-dessus.

— On veut seulement vous aider, Lilie.

La psychoéducatrice était pleine de sollicitude, mais ses paroles ne me donnaient qu'une envie: me fermer.

— Suspendez-moi si vous voulez, je m'en fous! De toute façon, ça changera rien…

Le directeur semblait surpris de ma réaction.

— Voyez plutôt ça comme un avertissement. À la prochaine offense, les conséquences seront sérieuses. Aujourd'hui, on va se contenter d'avertir vos parents…

Oh merde…

: :

Anticipant le parfum de colère qui régnait dans la maison Jutras, je me suis traîné les pieds entre la poly et le chemin de la Grève. J'espérais repousser la tempête de quelques minutes.

L'ouragan Ghislain et le typhon Suzanne approchent. Tous aux barricades!

Signe que quelque chose d'inhabituel se tramait, l'atmosphère des lieux était calme: mes parents avaient sûrement ordonné à mes frères de se trouver une vie ailleurs. Quand j'ai croisé le regard de mon père et entendu la respiration syncopée de ma mère, j'ai compris que je ne pouvais pas leur répliquer comme je l'avais fait avec ma prof. J'ai choisi d'affronter leurs paroles comme le font les habitants des Caraïbes durant la saison des tempêtes tropicales, placardant portes et fenêtres, et priant pour que le vent et la pluie n'emportent pas leur présent ni leur avenir.

— Veux-tu ben nous dire ce qui t'est passé par la tête?

La voix de papa, grave et tranchante, sous-entendait qu'il n'attendait pas réellement une réponse.

— On t'a pas élevée comme ça, il me semble.

Le ton de maman, aigu et déconcerté, révélait des préoccupations que je ne pouvais pas m'empêcher de juger.

— Peux-tu imaginer comment je me suis sentie quand le directeur nous a appelés?

Ma mère s'inquiétait davantage de ce que les gens pensaient que de ma propre perception. Pendant un quart d'heure, ils se sont renvoyé la balle, transpirant et rouges de déception. Lorsque les échos de leurs reproches ont faibli, je leur ai redonné assez d'attention pour entendre quelques phrases creuses: « T'as besoin de marcher droit », « Va falloir que t'apprennes à te comporter comme une adulte » et, le coup de grâce:

— Tu fais juste nous donner raison quand on dit qu'il est temps que tu te trouves une job. Ça va t'aider à devenir sérieuse. D'ici à samedi, on veut que tu nous montres tes démarches. Si on n'est pas satisfaits de tes efforts, tu vas travailler avec moi.

Depuis cinq ans, ma mère faisait le ménage chez certaines familles riches de Matane. Une façon d'alléger le fardeau financier de mon père mécanicien et de combler son trouble obsessionnel compulsif.

— Jamais de la vie!

Satisfaite de sa menace, elle a renchéri.

— Bon, ben, tu sais ce que t'as à faire!

Vaincue et stupéfaite, j'ai battu en retraite. Dans ma chambre, je me suis défoulée en écoutant la rage de Ramstein dans mes écouteurs. Au bout d'une heure, Jonathan a cogné à ma porte sans attendre ma permission pour entrer. Même s'il troublait mon intimité, je lui étais reconnaissante de me demander ma version de l'histoire.

— Qu'est-ce que les parents ont dit? demanda-t-il après m'avoir écoutée. Est-ce qu'ils vont t'envoyer dans une école de réforme sur une île où les profs battent les élèves qui les écoutent pas?

Je n'ai pas pu m'empêcher de rire.

— Pire encore! Si je trouve pas une job rapidement, je vais devoir laver des planchers avec maman!

Il a écarquillé les yeux, sachant que faire du ménage avec notre mère était probablement la pire punition de l'histoire.

— Si j'étais toi, je ferais tout, mais vraiment tout pour éviter ça…

Fouettée par son conseil, j'ai tout de suite réfléchi aux options potentielles :

BOULOT	MA PERCEPTION
Caissière	Je ne suis pas assez vieille pour gérer des cauchemars de vols à main armée…
Employée à la poissonnerie	Je suis trop jeune pour renoncer à ma vie sentimentale parce que je sens le poisson.
Sauveteuse	J'ai autant envie de mettre ma bouche sur celle d'un inconnu pour le ranimer que de jouer à la police avec des enfants qui courent sur le carrelage mouillé.
Tutrice	Je ne rendrais service à aucun enfant en lui transmettant ma démotivation scolaire.
Prof de flûte	Je pourrais demander entre vingt et trente dollars par cours, rentabiliser les millions d'heures investies dans ma pratique et devenir une « apprentie monsieur Forest » pour un enfant du primaire. Clairement la meilleure idée… dans une prochaine vie.
Commis en magasin	Je ne me souvenais pas d'avoir vu des filles remplir les étalages ou gérer un entrepôt, mais j'étais certaine de pouvoir faire aussi bien, sinon mieux, que la majorité des gars.
Gardienne d'enfants	Grâce aux contacts de ma mère chez les familles de riches, je ferais presque autant d'argent qu'elle, sans toucher un balai, tant et aussi longtemps que les enfants-qui-ont-grandi-avec-une-cuillère-dorée-dans-la-bouche ne viennent pas à bout de ma patience.
Serveuse dans un café	Je deviendrais accro à la caféine comme les Gilmore Girls, je consommerais des viennoiseries de façon compulsive et j'accuserais un jour mes parents d'avoir ouvert la porte à toutes mes dépendances.

En réalisant que j'étais aussi une Grinch lorsque j'imaginais mon entrée dans le monde du travail, j'ai pensé égayer ma journée avec une visite chez les Leclair. Quand la cloche a sonné, je me suis précipitée vers ma case pour m'habiller et rattraper Émile, qui avait une fois de plus quitté l'école avant tout le monde. Je ne comprenais pas comment il faisait pour être si rapide, mais je savais - du moins, je pensais savoir - ce qu'il fuyait. J'ai crié son nom en courant, comme une femme délaissée par son mari soldat le ferait en pleines retrouvailles après des mois, et je lui ai sauté au cou.

— T'es ben colleuse aujourd'hui! s'exclama-t-il en me donnant un câlin. Essaies-tu de renverser ta nouvelle réputation de *bad ass*?

J'ai interrompu sa foulée pour lui signifier mon incompréhension.

— T'as quand même... « fêlé » le nez d'Alexis, précisa-t-il en simulant un bruit de toux et en mimant des guillemets. Et tu t'es engueulée avec ta prof.

Émile omettait bien sûr de mentionner mon altercation avec le garçon ignoble qui l'avait insulté devant tout le monde, quelques semaines plus tôt.

— Dit de même, j'ai l'air d'une maniaque... Au fond, je devrais raconter à toute l'école que t'as déjà gagné une de nos batailles. T'es tellement maigrichon que tout le monde va penser que je suis inoffensive, pis ils vont comprendre que t'es pas si moumoune que ça!

En voyant son visage se durcir, j'ai pris conscience de ma bêtise. Ma phrase donnait l'impression que je le trouvais moi-même feluette, faible, inadéquat… J'ai voulu m'excuser, mais il a accéléré le pas jusqu'à sa maison et il s'est enfermé dans sa chambre.

— Qu'est-ce qui se passe ?

Maude est venue m'accueillir dans l'entrée.

— Rien… Il était pressé de regarder un truc sur l'ordi. Pis moi, j'ai besoin de tes conseils.

Je voulais détourner son attention au plus vite du malentendu avec Émile. Avant Noël, mon ami m'avait fait comprendre qu'il ne voulait pas que ses parents soient au courant que certaines filles le harcelaient à la poly. Je ne pouvais donc pas leur parler des insultes homophobes qu'on lui balançait par la tête quotidiennement ni des paroles maladroites que j'avais moi-même prononcées.

— Qu'est-ce que je peux faire pour toi, ma chérie ?

En simultané, le visage de la *mamma* disait : « Je sais qu'il se passe quelque chose, mais je vais faire comme si de rien n'était… »

— Il faut que tu m'aides à trouver un emploi !

— Tu veux des références ?

— Je pensais plus à des conseils pour mon CV, mais si tu peux m'éviter de chercher mille ans, je suis preneuse !

— Ben, l'autre jour, le propriétaire de la petite fruiterie en ville, monsieur Caron, m'a demandé si Émile cherchait du travail. Je suis pas mal sûre qu'il sera pas intéressé. Si tu veux, je peux parler de toi à monsieur Caron.

Ouiiiiiiiiiiiii!

— Ça ressemble à quoi, les tâches?

— Faire payer les gens à la caisse, placer les produits dans les étalages, défaire les boîtes dans l'entrepôt, préparer des fruits pour les paresseux/pressés.

— C'est clairement là que t'as perdu Émile! Sinon… une entrevue, ça peut ressembler à quoi? J'ai jamais fait ça!

Maude a pris un air de maman protectrice.

— Ça dépend. Comme je te réfère, ça va sûrement être plus simple. Monsieur Caron va peut-être te poser les questions classiques sur tes qualités, tes défauts et tes disponibilités. Mais, je t'avertis: il est un peu vieille école. Surprends-toi pas s'il dit qu'il est pas sûr qu'une fille est assez forte pour le travail. C'est pas méchant… Je suis certaine qu'il va te donner une chance. Faut juste éviter de mal réagir…

: :

J'ai mis en pratique le dernier conseil de la *mamma* dès mon arrivée à la Fruiterie Caron.

— Bonjour ma p'tite mam'zelle!

Note à moi-même: ne pas donner une leçon de vocabulaire et de féminisme à mon possible futur patron.

— Bonjour monsieur Caron! Vous allez bien?

Devant moi se tenait un monsieur ventru avec des lunettes dernier cri et des cheveux noirs parsemés de gris, contrastant avec les rides qui tenaient compagnie à ses yeux bleus rieurs. Il devait avoir soixante-cinq ans, mais dégageait l'énergie d'un jeune quinquagénaire.

— Ben oui, ben oui ! La belle Maude m'a dit que tu cherchais une job ?

J'ai répondu avec assurance, pour qu'il comprenne que je n'étais pas une fifille qui a peur de se casser un ongle.

— Oui ! J'aimerais vraiment ça que vous me donniez ma chance. J'ai jamais travaillé dans un commerce avant, mais je suis prête à apprendre. Je suis travaillante. Je sais comment interagir avec les gens, mais je suis assez discrète pour pas les déranger. Je suis serviable. Toujours à l'heure. Pis, je suis plus forte que j'en ai l'air.

Pendant que j'énumérais toutes les qualités nécessaires au boulot, un sourire est apparu sur son visage.

— Je suis content d'entendre ça, ma petite ! Tu veux commencer quand ?

— Vous me prenez ?

— Je devrais pas ? répliqua-t-il en riant comme un grand-papa.

— Non… ben non, c'est pas ça ! Je pensais que vous me poseriez plein de questions.

— Avec ce qu'on m'a raconté, j'avais un bon feeling. Pis tu viens de le confirmer !

Note à moi-même : remercier Maude jusqu'à la fin des temps.

— Qu'est-ce que tu dirais de venir vendredi soir, de six heures à neuf heures ? Ça va être assez tranquille. Je vais pouvoir te montrer quoi faire.

— C'est parfait !

— Oh ! Pis si tu connais un autre jeune qui a de l'allure, gêne-toi pas pour m'en parler. J'ai de la job pour deux !

: :

J'ai quitté la fruiterie avec l'enthousiasme d'une combattante. Sur le chemin de la Grève, j'ai fait un arrêt chez les Leclair avec deux objectifs en tête : sauter dans les bras de la *mamma* et faire la paix avec son garçon.

— Émile ! dis-je en cognant à sa porte. Je sais que t'es là. Arrête de faire ton bébé ! Faut qu'on se parle.

J'étais déterminée à ne pas laisser une nouvelle période de bouderie noircir notre amitié.

— Imagine-toi pas que t'es la plus grande tête de mule entre nous deux ! Je partirai pas d'ici avant que tu m'ouvres. Je vais m'asseoir devant ta chambre, refuser la nourriture de tes parents, maigrir, tomber malade, manquer de l'école, ne pas finir ma troisième secondaire. Mes parents vont me mettre dehors, je vais devenir une itinérante, et probablement *junky* pour oublier mon avenir disparu. Pis tu vas me croiser sur la rue avec quatre couches de vêtements défraîchis, les dents brunes et les cheveux remplis de nœuds. Tu me reconnaîtras pas, je vais pleurer notre amitié perdue et me laisser dépérir jusqu'à ma mort…

J'ai entendu un rire retenu de l'autre côté de la porte.

— Après ça, dans le cimetière, j'aurai pas de pierre tombale, parce que personne va m'aimer assez pour en payer une. Sur la petite croix en bois, y aura même pas assez d'espace pour écrire : « Ici gît Lilie Jutras, dite “la pouilleuse”, après que son meilleur ami l’a abandonnée. » Mais, toi, tu vas porter ma mort sur ta conscience jusqu’à la fin des temps !

Ne voulant certainement pas découvrir jusqu’où mes fabulations iraient, Émile a tourné la poignée pour me laisser entrer. Je l’ai trouvé sur son lit, avec un oreiller sur la poitrine et un visage disant « t’es une grosse niaiseuse, mais je t’aime quand même ».

— *Come on,* Mile…, chuchotai-je pour éviter que ses parents entendent la suite. Tu sais bien que ma phrase est sortie toute croche. J’ai pas l’impression que t’es une moumoune ! Tu m’as déjà battue une fois, pendant genre trois secondes, l’automne dernier, sur la plage. Et je suis certaine que tu serais meilleur que quatre-vingt-dix pour cent des gars, s’ils devaient te suivre dans la ferme de tes grands-parents.

Sa respiration se calmait.

— T’es une chochotte qui se plaint trop souvent, précisai-je. Pas une moumoune.

Ses sourcils se sont froncés, mais il avait du mal à retenir un sourire.

— Tu devrais devenir humoriste, riposta-t-il. T’es telllllement drôle…

Son ironie sous-entendait la fin des hostilités.

— On devrait monter un spectacle en duo et partir en tournée partout au Québec ! dis-je sans grand sérieux. En attendant, viens travailler avec moi à la Fruiterie Caron ! Le proprio a besoin de bras, et je lui ai dit que je connaissais un gars super fort, style armoire à glace.

Ses yeux me disaient quelque chose comme « pousse pas ta luck ».

— Pourquoi je ferais ça ?

— Pour passer plus de temps avec la meilleure amie du monde, accumuler assez d'argent pour acheter ton appareil photo et mettre une première expérience de travail dans ton CV.

Il ricanait.

— Tu parles comme une adulte…

— Allez ! Ça va être drôle !

— Bof… Ça m'étonnerait que je trouve des contrats photo parce que j'ai placé des caisses de pommes sur une tablette. Et j'en veux pas, du nouvel appareil, si ça m'oblige à perdre des heures pour économiser.

— Mais…

— Non, je suis sérieux, Lilie. Je veux me concentrer sur mon art, pas sur l'épaisseur de mon portefeuille.

Émile continuait de se dévouer à sa passion, alors que je ne pouvais plus en faire autant. Je ne lui en voulais pas d'être déterminé, mais je détestais sentir qu'il avait raison et qu'il savait où il s'en allait, pendant que je végétais dans le néant. J'essayais de me réconforter en me rappelant qu'il nous restait deux ans et trois semaines avant la date limite pour envoyer nos inscriptions dans les cégeps. D'ici là, je trouverais sûrement en quoi étudier et j'aurais assez d'économies pour m'inscrire dans n'importe quelle région de la province, en remerciant mes parents d'avoir trouvé un moyen de m'éloigner d'eux le plus tôt possible.

— En tout cas, dis-je avec mauvaise foi, plains-toi pas si on se voit pas assez à cause de mon travail.

: :

Le lendemain de mon embauche, je me suis dépêchée d'annoncer la bonne nouvelle à Alexis, avant le début des classes. Je voulais partager ma joie et vérifier si on pouvait se voir durant la fin de semaine, au lieu du vendredi comme prévu, puisque monsieur Caron voulait me former ce soir-là.

— Lilie ! s'emporta Alexis. Ça nous a tout pris pour trouver un soir. Mon week-end est ultra-rempli !

J'entendais dans sa voix une déception que j'aurais préféré ne jamais provoquer.

— Si tu devançais ton entraînement du samedi matin au vendredi soir, on pourrait se voir. Je te raconterai comment s'est passée ma formation !

— Je m'entraîne déjà trois heures vendredi après l'école. Je vais pas faire le double juste pour qu'on se voie.

J'ai plissé le front en entendant sa dernière phrase.

— Tu sais ce que je veux dire, reprit Alexis. J'aurais pas de pause pendant six heures et je risquerais de me blesser. Disons que ça m'est arrivé un peu trop cet hiver…

Un sentiment de culpabilité s'est emparé de chacune de mes cellules.

— Je finirais la soirée épuisé, ajouta-t-il, et je serais une larve avec toi le lendemain. T'aurais pas de fun…

— Je pourrais regarder ta belle face en silence, répliquai-je en tentant d'alléger l'atmosphère.

Un véritable échec, si je me fiais à son sourire forcé. Cette conversation allait de mal en pis. J'avais oublié - Dieu seul sait comment - son insécurité par rapport à l'attention qu'on lui portait.

— As-tu le droit de prendre congé, des fois? tentai-je en douceur. Avec tous les entraînements que tu fais à l'heure du midi, après l'école et les fins de semaine, ton entraîneur pourra jamais t'accuser de manquer d'efforts.

Alexis semblait désarçonné.

— Je peux pas, répondit-il en respirant comme si ses poumons étaient comprimés. Je… je peux pas…

Un éclair de douleur a traversé mon ventre, comme dans la classe de mathématiques.

— Qu'est-ce qui se passe?

— Rien, marmonna-t-il. J'aurais voulu passer du temps avec toi, mais ça fonctionnera pas.

Je tentais de comprendre ce qui se tramait en lui. Mes yeux chauffaient, comme si j'allais pleurer.

— Je parle plus de ça… J'ai l'impression qu'il y a quelque chose que tu me dis pas. Peut-être que je…

— J'ai toujours eu de la difficulté à manquer un entraînement. Je me sens coupable pendant des jours après…

La cloche annonçant le début imminent des cours a sonné.

— Faut pas que tu le prennes personnel, précisa-t-il avec un regard plein d'affection. Je suis juste… je suis…

Je le sentais sur le point de briser, mais le contexte était tout sauf propice à de tels épanchements.

— C'est correct, Alexis.

Faisant fi de mes réticences habituelles quant aux marques d'affection en public, j'ai ouvert mes bras pour lui donner un câlin. Il m'a ensuite souhaité « bonne journée » avec un sourire timide. Je l'ai regardé s'éloigner avec la conviction que je n'apercevais que la pointe de l'iceberg qui alourdissait son cœur…

8

Je me suis écroulée sur le canapé du salon, avec l'impression de peser une tonne.

— Coudonc, on dirait que t'as couru un marathon !

Papa me dévisageait pendant que je comparais les effets d'une quarantaine de kilomètres de course à ceux d'une soirée de formation avec monsieur Caron.

— Presque ! répondis-je à mon père. Si ça te dérange pas trop, je bougerai plus de la soirée. Ça se peut même que je décide de transférer ma chambre dans le salon, pour plus jamais avoir à bouger…

Il a ri de bon cœur. Je répète : Il. A. RI. DE. BON. CŒUR.

— C'est beau, la fatigue après l'ouvrage. T'auras pus assez d'énergie pour faire des niaiseries.

Je me suis retenue de répondre qu'à l'exception d'une escarmouche avec ma prof, mon tableau d'actes répréhensibles ferait l'envie de la majorité des parents du monde.

— Ouin, ben, en attendant, j'ai l'impression que j'aurais besoin d'un doctorat pour comprendre la maudite caisse...

— C'est pas trop dur physiquement ?

— Pas vraiment. Je vais charrier plein de boîtes assez lourdes, mais monsieur Caron m'a montré comment m'y prendre, pis je suis assez...

— Il faut que tu forces avec tes jambes, dit mon père aussitôt. Pas avec le dos.

Il a enchaîné avec une série de conseils que j'écoutais d'une oreille distraite, trop occupée à réaliser qu'il s'intéressait à ce qui m'arrivait. Comme si la première soirée de ma vie professionnelle le fascinait davantage que le reste de ma vie, mes résultats scolaires, mes amis et ce qui faisait basculer mon cœur. D'ordinaire, la comparaison aurait généré chez moi une envie de pleurer, mais ma fatigue me poussait à préserver mon énergie et à me concentrer sur le positif.

Je n'ai pas le droit d'en vouloir à mon père de se préoccuper de moi...

— Toi, as-tu toujours travaillé au garage de ton oncle ou t'as eu une petite job comme la mienne ?

— Quand j'étais ado, je faisais des livraisons à vélo pour une épicerie.

Drôle de coïncidence. À deux décennies d'intervalle, nous faisions nos premiers pas sur le marché du travail avec un boulot dans le domaine alimentaire.

— Aimais-tu ça ?

Il a tourné son La-Z-Boy vers moi.

— Ben sûr ! J'avais hâte d'être assez vieux pour conduire le camion en hiver et livrer les commandes. Je pense que j'aurais aimé ça devenir conducteur de *trucks*...

Il était subtil, minuscule, mais j'ai quand même aperçu un éclat de regret dans son regard.

— Si ton oncle était pas tombé malade et que t'avais pas repris son garage, serais-tu devenu camionneur ?

— Ça sert à rien de penser à ces choses-là...

Il s'est fermé d'un coup, comme si la complicité qui s'installait n'avait jamais existé. Il a replacé son siège vers la télévision. Et je me suis sentie triste pour lui. Je l'observais réagir à la récapitulation du match du Canadien, qu'il avait sans doute regardé durant la soirée, et j'ai ressenti de la pitié : mon père se captivait pour les prouesses de millionnaires sur patins, à défaut d'être stimulé par sa propre existence.

Avant de m'endormir, je me suis promis de tout faire pour être fière de mes choix futurs.

: :

La gêne avait assez duré. J'avais vu Alexis se rendre à sa case pour récupérer ses trucs de judo. Il semblait pressé, mais je devais aller à sa rencontre. Quand il m'a aperçue, j'ai senti en lui la surprise de me croiser, la joie de me voir approcher, le désir, l'élan pour m'embrasser, le souvenir de mon malaise en public, le frein et la déception, bien plus grande que je n'osais l'imaginer, comme si je débranchais un ventricule de son cœur chaque fois que je repoussais son affection.

Ça suffit.

Je ne pouvais plus lui faire subir un tel affront. Pas avec ce qui se tramait entre nous depuis bientôt deux mois. Je ne pouvais réagir ainsi, alors qu'il faisait preuve de patience, de compréhension et de douceur. Sans oublier son charme auquel je refusais de résister.

Fonce.

J'ai débranché mon cerveau, mes angoisses et mon imagination, le temps de combler le mètre qui nous séparait, de placer mes dix doigts sur ses joues et de projeter mes lèvres sur les siennes. Ne comprenant pas ce qui lui arrivait, Alexis est resté tendu un bref instant, avant de se laisser aller et de m'embrasser comme il le faisait à l'abri des regards. Autour de nous, les sifflements et les onomatopées se battaient pour voler notre attention. J'ai tourné la tête une seconde pour analyser les réactions, jusqu'à ce que le p'tit Roumain enligne nos bouches. Après un moment que j'aurais voulu voir durer pour l'éternité, il a déplacé son visage vers mon oreille :

— Demain, je te kidnappe pour la soirée.

Le doute s'est installé dans mes yeux.

— Tu t'entraînes les mardis soir, d'habitude…

— Oui, mais j'ai suivi ton conseil et j'ai demandé congé à mon *coach*.

— Fallait pas m'écouter ! répondis-je dissimulant mal ma joie. J'ai dit ça parce que j'étais déçue de pas te voir ! Je…

— Lilie, dit-il en plaçant une main sur un de mes flancs, je m'ennuie de toi et j'ai envie de te voir. C'est tout.

Le barrage qui retenait un torrent de joie a cédé. J'hésitais entre rire, sourire et pleurer.

— Mon entraîneur a compris, ajouta Alexis. Il sait que c'est une journée importante.

Devant mon air perplexe, il a éclairé ma lanterne.

— C'est la Saint-Valentin demain.

— J'avais même pas réalisé !

— Ben là, l'école au complet est décorée avec des cœurs !

Sans oublier que les M&M piaillaient sur le sujet depuis une semaine.

— Je sais, dis-je les joues rouges. Mais… c'est la première fois que ça me concerne.

Bonjour, je m'appelle Lilie Jutras et j'ai toujours été trop célibataire pour célébrer la fête de l'amour.

— Pas moi…, marmonna-t-il l'air faussement coupable. Par contre, c'est la première fois que je prépare quelque chose de spécial pour l'occasion.

Je me suis sentie comme une vieille dame devant une machine à sous gagnante.

— C'est quoi ? C'est quoi ? C'est quoi ?

— Tu verras demain ! Je passe te prendre à six heures.

— Tu peux pas me laisser dans le néant comme ça ! Je vis mal avec l'inconnu, Alexis !

Il a récupéré ses affaires en me faisant signe qu'il était déjà en retard. Surexcitée, j'ai gloussé pendant de longues secondes, jusqu'à ce qu'une voix graveleuse se rende jusqu'à moi :

— Arrête de sourire comme une conne…

Éric Landry, l'imbécile avec qui je m'étais engueulée à la cafétéria, venait de passer derrière moi. J'ai d'abord eu envie de répliquer, de le poursuivre dans le couloir et de l'enfermer dans une case, mais je me suis ravisée. Ses insultes étaient si violentes qu'elles me semblaient irréelles : rien ne justifiait cette brutalité. À défaut de me venger, j'ai décidé de changer de perspective et de repenser à mon copain. Malgré l'émoi qui l'habitait quelques jours plus tôt, il avait annulé un entraînement. Pour moi.

T'es peut-être pas aussi banale que tu le pensais…

Quand Landry est repassé devant moi, j'ai répliqué avec la dernière chose qu'il espérait, un sourire, ce qui l'a doublement frustré. Je me suis félicitée de ma nouvelle sagesse et j'ai eu envie de vérifier son effet sur la cible préférée du bourreau de la poly. Deux minutes plus tard, j'ai retrouvé Émile dans l'endroit qui lui ressemblait le moins du monde : la classe de techno, avec ses tables hautes, ses outils et ses monstres de métal prêts à scier les morceaux de la machine à gommes qu'on avait fabriquée cet automne.

Probablement la seule chose moins utile qu'apprendre l'algèbre ou retenir le nom de la capitale de l'Azerbaïdjan.

Surpris de voir quelqu'un surgir dans sa cachette, mon ami ne savait pas quoi dire.

— Ça va ?

J'espérais casser la glace avec une question inoffensive, mais mon ton était chargé d'inquiétude.

— Oui… pourquoi ?

— Clara m'a dit que tu venais dîner ici depuis des mois. J'avais jamais remarqué avant. J'étais trop dans mon monde…

— Moi aussi, j'aime ça, être dans mon monde, répondit-il en détournant mon propos à son avantage. Je lis ou je fais le tri dans mes photos.

Je me suis assise à ses côtés.

— Alexis a prévu une soirée pour la Saint-Valentin.

J'essayais de contenir le pétillement de joie qu'Émile ne connaissait pas encore.

— Tu sais que t'es obligée de tout me raconter après !

Ses sourcils en accents circonflexes ne laissaient aucune place à interprétation.

— Aye… Mets-moi pas des idées dans la tête. Je suis assez énervée de même !

— Du calme ! Vous allez quand même pas essayer toutes les positions du Kamasutra le premier soir !

— T'es con !

Je savais qu'il penchait vers l'extrême pour désamorcer mon anxiété.

— En avez-vous parlé ?

— Non…

— Alexis va pas te sauter dessus d'abord ! C'est pas un gros épais avec un pénis à la place du cerveau.

La seule mention du sexe masculin me rappelait que j'ignorais quoi faire avec ça. Concrètement.

— Je sais… Il ferait rien pour me mettre mal à l'aise.

Je n'osais pas lui révéler que je craignais de décevoir mon copain avec mon inexpérience, que je n'imaginais pas me retrouver nue en sa présence et que je serais comblée par nos baisers et nos câlins encore longtemps, si je n'avais pas si peur qu'il se tanne et qu'il cherche une fille de seize ans, plus ouverte à tout essayer.

Un silence s'est glissé dans la conversation. Juste assez long pour que je me rappelle la raison de ma visite.

— Sais-tu ce que le gros cave d'Éric Landry m'a lancé l'autre jour ? Il a dit que j'étais une « p'tite farouche mal baisée », pis qu'il était soulagé qu'Alexis se sacrifie pour les autres en s'intéressant à moi.

Émile a grimacé.

— C'est juste un déchet de la société, répliqua-t-il avec hargne. Il doit le savoir que le secondaire va être le *peak* de son existence et qu'il fera rien de sa vie. Quand il va mourir, personne va regretter son absence…

Les mots d'Émile dénotaient plus que de la colère. Il était profondément troublé.

— *Anyways*, reprit-il, Alexis est loin d'être le seul à triper sur toi !

J'avais du mal à déterminer s'il était gêné par la discussion sur son intimidateur ou s'il vivait mal avec l'idée que des garçons s'intéressent à moi. Des garçons autres qu'Alexis… ou que lui-même ? Émile cachait-il des sentiments pour moi ? M'étais-je trompée à son sujet ?

— Qu'est-ce que tu veux dire ? tentai-je prudemment.

— Ben là, t'es une des plus belles filles de l'école. Tu peux pas empêcher le monde de te regarder, même si tu fais la dure d'approche !

Émile évitait à nouveau mes questions intrusives.

— Je joue pas à la fille inaccessible !

— Je le sais ! Si tu jouais à l'inaccessible, il faudrait que t'assumes que t'es cent fois plus intéressante que les autres.

Je n'ai pas pu m'empêcher de sourire.

— Par contre, ajouta-t-il, tu laisses pas entrer beaucoup de monde dans ta bulle. T'es plus discrète que n'importe qui. Pis je le sais que tu me dis pas tout…

— Toi non plus !

On s'est analysés un instant et j'ai choisi de dévier la discussion. Mon meilleur ami ne semblait pas encore prêt à me révéler son secret : son homosexualité ou son amour pour moi, je ne savais plus. Je préférais me concentrer sur mon histoire avec Alexis. Pour l'instant…

— J'ai embrassé le p'tit Roumain devant le monde, tantôt…

— Bon… Ça t'a pas fait trop mal ?

— On dirait que c'était encore plus agréable que d'habitude ! Ça doit vouloir dire que je suis une exhibitionniste. Ou que j'ai besoin que les autres valident ce que je vis. Oh mon Dieu ! Je suis rendue une fille sans personnalité qui parle juste de son couple ! Comme les M&M…

Émile a éclaté de rire.

— Ben non ! T'es ben moins abrutissante qu'elles.

Charmant choix de mots.

— Au fond, c'est ça qui te gênait, dit-il. À partir du moment où tu montres que t'es en couple, tu dois gérer les regards, les commentaires et les questions. T'es obligée de trouver quoi répondre. De dire ce que tu penses. Ce que tu veux ou pas. Pis ça, j'ai l'impression que tu y as jamais pensé. En tout cas, on n'en a jamais parlé…

: :

S'il y avait un sujet que je n'avais jamais abordé avec ma mère, c'était les garçons. J'aurais aimé qu'il en demeure ainsi jusqu'à la fin des temps, mais Jonathan s'est fait un devoir d'avertir la reine du foyer que je soulignerais la Saint-Valentin avec Alexis durant la soirée… et que nous avions frenché devant toute l'école. Son commentaire a semé l'émoi. Jérémie a mimé ce qu'il croyait être un baiser français. Je me suis retenue, pour une fois, de spécifier si ma langue avait participé ou non à ce rapprochement. Mon père a demandé qui étaient les parents de mon copain. Jo a répondu que les Séguin vivaient à Matane depuis six mois, qu'ils travaillaient à l'hôpital, que la petite sœur d'Alexis vivait avec un trouble du spectre de l'autisme et que mon copain lui avait supposément confié tout ce qu'il prévoyait pour notre soirée.

— Quand est-ce qu'on le rencontre ? demanda ma mère.

Je l'écoutais à moitié, tâchant plutôt de me remémorer si Alexis m'avait déjà partagé cette information sur sa sœur. Il ne me parlait pratiquement jamais d'elle. Lorsque j'allais chez lui, elle était absente ou très discrète. Tout comme sa mère, d'ailleurs. J'imaginais que son horaire de médecin était atypique.

— Lilie, ta mère t'a posé une question.

Mon père m'a ramenée à la réalité.

— Qu'est-ce que vous voulez savoir ?

— Quand est-ce qu'on va le voir ?

Mon envie de répondre « jamais » pulsait dans mon esprit.

— Je sais pas… Je lui ai dit que j'allais le rejoindre devant la maison à dix-huit heures.

Petit mensonge.

— Ben là ! Faites pas ça comme des bandits ! rétorqua maman. On veut le connaître, nous autres.

Par « le connaître », elle ne voulait pas dire « découvrir le garçon qui fait palpiter le cœur de sa fille », mais plutôt « lui faire passer un interrogatoire pour vérifier s'il est à la hauteur ».

— À un moment donné…, répondis-je. Là, il faut que je me prépare. Sinon, je vais être en retard !

Isolée dans ma chambre, j'ai appelé chez les Séguin afin d'avertir leur garçon de ne pas cogner à notre porte s'il voulait éviter d'y passer la soirée. Une jolie voix féminine a répondu. Je me suis présentée. Sa mère a mentionné qu'elle avait beaucoup entendu parler de moi et que son fils s'était rarement montré aussi coquet un soir de Saint-Valentin. J'ai tenu sous silence ma réflexion sur l'inégalité de nos expertises en tenues valentines. Elle m'a informée qu'il était parti quinze minutes plus tôt, mais que je pouvais le joindre sur son cellulaire. Surprise, j'ai imaginé qu'il possédait un téléphone depuis des mois et qu'il préférait que j'ignore son numéro, mais Anne-Sophia - elle insistait pour que je l'appelle par son prénom - m'a expliqué que son mari lui avait offert le matin même, pour qu'il puisse le joindre en cas de problème, puisqu'il lui prêtait la voiture pour la première fois.

Quoi ? Alexis vient me chercher en auto !

Pour une fois, notre différence d'âge me faisait jubiler. Mon copain était assez vieux pour conduire un véhicule sans supervision, et nous serions indépendants de mouvements toute la soirée. J'ai remercié sa mère et je me suis empressée de le contacter. En tombant sur sa boîte vocale, je me suis résignée à laisser des indications claires en espérant qu'il écoute le message. Je m'apprêtais à filer vers la douche lorsqu'on a cogné à ma porte.

— Je peux entrer ? dit ma mère en attendant pour une rare fois ma permission.

— Oui, mais je suis pressée !

— Ce sera pas long, répondit-elle en refermant derrière elle. Je veux juste…

Elle regardait au plancher.

— Je me disais que…, reprit-elle. Tsé… Alexis pis toi.

— Quoi ?

Je savais trop bien où elle voulait en venir.

— Vous êtes ensemble depuis longtemps ? Pourquoi tu nous en as pas parlé ?

J'ai fait abstraction de sa deuxième question. Ma réponse aurait été teintée d'amertume vu le désintérêt auquel ils m'avaient habituée.

— Bientôt deux mois, répondis-je. C'est récent…

J'espérais que mon choix d'adjectif la convaincrait de ne pas aller plus loin.

— Ton frère nous disait que ton Alexis a seize ans… Il est plus vieux que toi.

— Oui, maman… Sa fête est au mois d'août. Il a genre quinze mois de plus.

— Tsé, les p'tits gars de son âge ont souvent des envies…

— Maman ! Je veux pas parler de ça avec toi !

J'appréciais sa curiosité soudaine pour ma vie, mais je me serais passée de cet échange.

— Si on n'en parle jamais, tu vas finir niaiseuse comme moi, pis tu vas te retrouver avec un bébé dans le ventre avant d'avoir un diplôme…

Jamais ma mère ne m'avait raconté l'histoire entourant la conception de Jonathan. Même si elle affichait un visage préoccupé, j'étais touchée par sa demi-confidence.

— Je vais pas tomber enceinte ce soir, ni demain, répondis-je avec une voix qui se voulait rassurante autant pour elle que pour moi. On n'a rien fait encore. Pis, si ça arrive un jour, je sais comment ça fonctionne.

Faux. J'ai une idée générale de la chose et je compte sur la voisine pour clarifier deux, trois affaires…

— Compte pas sur lui pour penser aux condoms, ajouta-t-elle découragée. C'est votre responsabilité à tous les deux. Et te force pas à faire des trucs, si t'es pas prête…

À mon grand étonnement, son conseil m'a fait du bien. J'avais besoin qu'on me le dise. Qu'elle me le dise.

— Oui, oui, j'ai compris. Il faut que je m'arrange, maintenant.

— As-tu besoin d'aide ?

Ma mère me propose de jaser vêtements, cheveux et maquillage ! Qu'est-ce qui se passe ?

— C'est gentil, mais ça va aller…

Si je ne la savais pas dénuée de tout sens esthétique, j'aurais peut-être accepté. Mais comme il ne restait que trente-cinq minutes avant l'arrivée d'Alexis, j'ai préféré me passer de nos inévitables divergences d'opinions. Quand je suis arrivée à la salle de bain, je suis tombée sur une poignée verrouillée. J'ai presque défoncé la porte en exigeant que Jérémie-j'ai-treize-ans-et-je-passe-trop-de-temps-devant-un-miroir sorte au plus sacrant. Puis, je me suis félicitée mentalement d'avoir des cheveux courts qui séchaient en un rien de temps.

De retour dans ma chambre, j'ai enfilé des vêtements permettant à mon charme de se révéler, sans faire abstraction de la température froide de la mi-février : des collants bleu marine, une jupe de coton gris pâle et un chemisier blanc sur lequel je déposerais un cardigan de couleur *charcoal*. À cinq minutes de son arrivée, j'ai appliqué du rouge à lèvres saillant et une ligne de crayon sur mes paupières.

L'équivalent d'une transformation extrême pour moi.

J'ai enfilé le seul manteau semi-chaud qui me donnait l'impression d'avoir une silhouette, pendant qu'une porte de voiture se fermait. Dix secondes plus tard, Alexis se tenait devant moi avec un sourire timide que je n'avais jamais vu, des cheveux impeccablement placés, un jean foncé, des souliers propres et un *trench coat* qui descendait jusqu'à ses genoux. Il m'apparaissait encore plus grand, plus séduisant et plus... je ne saurais trop quel mot utiliser. Quelque chose de différent se dégageait de lui.

— T'es vraiment jolie ! dit-il comme s'il n'en revenait pas. Je veux dire... t'es magnifique au naturel, mais là...

Sans le vouloir, j'ai concrétisé l'expression « rire comme une écolière ».

— Moi, je te trouve vraiment plus beau ce soir ! Tsé, d'habitude, ton look de sportif, tes cheveux mouillés, ton parfum nordique me laissent vraiment indifférente…

Il a interrompu mon rire par un baiser percutant, en posant une main dans mon dos pour m'empêcher de perdre l'équilibre. Totalement séduite et convaincue qu'au moins un membre de ma famille nous observait depuis une fenêtre à l'étage, je l'ai entraîné jusqu'à sa voiture. À l'intérieur, il m'a tendu un minuscule bouquet de fleurs. De fausses fleurs.

— Ma sœur m'a entendu demander à ma mère ce que je pouvais t'offrir. Elle tenait à ce que je te les donne…

Il a déposé un assemblage en papier de soie reproduisant avec une perfection éblouissante la forme de roses multicolores, alignées dans un dégradé de couleurs minutieusement calibrées. J'étais sans mot.

— Les aimes-tu ? demanda Alexis.

— Vraiment ! Comment elle a fait ça ?

— Disons que… si elle se concentre sur quelque chose, elle apprend tout et elle pense juste à ça. Présentement, c'est l'origami. Elle se pratique sans arrêt.

— Elle a découvert ça à l'école ?

— Non, répondit Alexis en soutenant mon regard. Eli va dans un centre adapté à ses besoins. Elle est autiste.

Il analysait comment je réagissais à la différence de sa sœur : sans la moindre surprise, puisque Jonathan m'avait mise au courant. Rassuré, Alexis m'a donné des détails.

— Elle a de la difficulté avec les interactions sociales. Et elle a des habitudes rigides.

— T'entends-tu bien avec elle ?

Il a vite répondu par l'affirmative, comme si l'inverse aurait été condamnable.

— Elle est adorable ! Je fais partie des gens qu'elle a apprivoisés, mais...

Une ombre est passée dans ses yeux.

— Elle a besoin de beaucoup d'attention, précisa-t-il. Disons qu'il en reste moins pour moi après... Mais bon, on n'est pas là pour parler d'elle. J'ai prévu quelque chose. J'espère que tu vas aimer ça.

J'avais imaginé que nous irions dans un restaurant ou un café, mais il ne roulait pas vers le centre-ville. Lorsque le panneau de Sainte-Félicité est apparu, mon niveau de stress a monté : nous étions à plus de trente minutes à pied de la maison, Alexis conduisait et j'ignorais la destination. Mon esprit s'est emporté, tentant d'imaginer ce qu'il avait en tête et comment je pourrais m'en sortir, en cas de problème, sans cellulaire ni permis de conduire. Au fond de moi, je savais que je pouvais avoir confiance en lui. Néanmoins, mon cœur s'est mis à palpiter quand nous nous sommes éloignés de la grand-route, au profit d'un chemin en forêt. Que voulait-il y faire ?

Nous sommes ensemble depuis presque deux mois. Alexis a seize ans. Nous fêtons la Saint-Valentin. Dans un lieu à l'abri des regards... Tu penses qu'il veut faire quoi, espèce de nouille ?

Une part de moi ressentait le besoin urgent de connaître ses intentions et de lui dire que je n'étais pas encore prête à vivre ma première fois. À l'inverse, une petite voix me suggérait de ne pas m'inquiéter et de laisser la soirée suivre son cours. Émile avait raison : mon copain n'oserait jamais me forcer à faire quelque chose que je ne voudrais pas. Je le savais au fond de moi. Mais j'avais quand même peur. De le décevoir, si je devais lui demander de ne pas aller plus loin. D'être gênée de vouloir patienter. Ou de gâcher la première soirée valentine de mon existence avec mes limites personnelles. Je risquais de tout gâcher en lui spécifiant que je refusais quelque chose qu'il ne m'avait pas encore proposé.

T'auras toujours le droit de t'exprimer en temps et lieu... Pour l'instant, tu n'as absolument rien à lui reprocher.

La suite a donné raison à mon instinct.

— Bienvenue à mon petit château en bois rond, dit-il en immobilisant la voiture. C'est ma place préférée dans le monde depuis toujours.

Mes yeux interrogateurs ne lui ont pas échappé.

— Mes parents l'ont acheté il y a douze ans, dit-il. On est souvent venus en vacances ici. Quand j'étais petit, il paraît que je faisais une crise chaque fois qu'on repartait à Québec.

— Imagine si on s'était rencontrés avant...

Il a souri.

— Impossible. Quand on était ici, je passais toutes mes journées à l'eau, dans le bois ou à l'intérieur du chalet. Je m'arrangeais pour rester seul aussi souvent que possible.

— Ça me surprend… T'as l'air tellement à l'aise avec les gens. Je me sens presque sauvage à côté de toi…

— Je sais, rétorqua-t-il. C'est une des choses que j'aime le plus chez toi. T'as pas besoin d'un million d'amis pour te sentir bien. On dirait que tout ce qui se passe dans ta tête suffit…

C'était la première fois qu'on parlait de mon côté solitaire et de mon indépendance comme des qualités.

— Tu dis ça comme si tu voulais être pareil. Je comprends pas.

— Ça dépend. Je suis sûr que les milliers d'heures passées dans mon monde m'aident quand je m'entraîne : j'ai besoin de personne pour être discipliné. Sauf que pour moi, jaser avec le monde, c'est naturel. Ça me rappelle que je suis pas juste un tas de muscles qui transpire… Mais, des fois, j'aimerais ça avoir une imagination plus développée. Ou avoir moins besoin des autres…

J'étais certaine qu'il venait de mettre le doigt sur ce qu'il n'osait pas révéler l'autre jour.

— Par exemple, dit Alexis, j'ai pas pu m'empêcher de demander à Émile des suggestions pour ce soir. Comme si j'étais pas capable tout seul d'être adorable.

Il détournait la conversation.

— Ben là… T'es le roi indétrônable de l'*adorabilité* !

Il m'a contredite en m'expliquant son plan initial :

- Louer une allée dans un bowling disco ;
- Soudoyer le responsable pour faire jouer mes chansons préférées ;
- Me servir un repas *fancy* dans un lieu pas tant *fancy*. Pour rire.

Émile lui a fait comprendre que les boules disco, les *blacklights* et les haut-parleurs n'existaient pas dans notre salle de quilles, que les murs beige et brun étaient assez déprimants pour faire casser n'importe quel couple et qu'il allait probablement regretter pour le reste de sa vie de jouer aux quilles sur du Léo Ferré, du Ramstein et du Serge Gainsbourg, un résumé soi-disant représentatif de mes goûts musicaux.

— Il m'a dit que c'était préférable de garder ça simple… et d'ajouter une petite touche spéciale. Alors, j'ai pensé t'inviter dans l'endroit où je me sens le plus moi-même.

Mes doutes venaient de s'envoler. J'avais maintenant hâte de découvrir son chalet.

— On y va ?

Après avoir franchi une large porte bleue, j'ai aperçu sur la table à manger un plateau de charcuterie, de fromages, de craquelins, d'amandes et de canneberges.

Miam !

La faim me dévorait, mais j'étais fascinée par la boîte qu'Alexis avait déposée dans l'entrée. Sur le couvercle, il était écrit « Cette boîte s'autodétruira si vous l'ouvrez avant le dessert ! », avec des dessins de grenades qui explosent.

— C'est du sérieux, la Saint-Valentin, chez vous ! dis-je en me retenant pour ne pas rire. Sur une échelle de zéro à dix, tu me détesterais gros comment si je respectais pas la consigne ?

Il a fait semblant d'hésiter.

— Je pense que je te priverais de ma bouche pendant une semaine !

— C'est donc ben prétentieux comme réponse, ça ! Comme si je...

Ses lèvres m'ont fait taire avant que j'aie pu lui expliquer le caractère subjectif de son affirmation. De toute façon, il avait raison : je ne pourrais pas me priver de ses baisers pendant sept jours. Chaque fois que nous nous embrassions, je me demandais comment j'avais pu passer quinze années sans cela dans ma vie.

— Est-ce qu'on peut manger, au moins ? demandai-je.

Après m'avoir invitée à m'asseoir en reculant ma chaise, Alexis a sorti deux salades du frigo avec une démarche rappelant celle d'un valet. Il prenait un malin plaisir à jouer son rôle. Lorsqu'il s'est penché pour récupérer un pichet d'eau dans le frigo, j'ai souligné l'utilité de s'entraîner mille heures par semaine en complimentant ses jolies fesses. Il s'est retourné très vite et son front a fracassé l'ampoule sur le plafond-beaucoup-trop-bas.

L'éclat du verre et son cri de surprise ont généré un bruit affreux. Il a posé une main sur le comptoir, comme s'il allait s'effondrer. Je me suis précipitée vers lui en essayant d'éviter les morceaux au sol. J'imaginais déjà appeler l'ambulance et maudire Cupidon pour la pire Saint-Valentin de l'histoire, mais le rire d'Alexis m'a ramenée à la réalité.

— Ça va aller, dit-il doucement. J'ai pas vraiment mal. C'est plus le choc, je pense…

— N'importe quoi ! Tu viens de t'éclater de la vitre sur la tête. T'as peut-être une commotion cérébrale ! Est-ce que tu saignes ?

Sans lui laisser le temps de répondre, j'ai inspecté son front et le fond de sa tête.

— Lilie… je vais être correct.

J'ai reculé d'un pas pour l'observer. Outre une ecchymose impossible à manquer, il semblait en parfait état.

— Les choses s'améliorent, entre nous deux, je trouve, dit-il. Au début, tu frappais sur ma cheville foulée. Après, tu m'as cassé le nez. Pis là, j'ai juste un petit bleu dans le front à cause de toi.

Terriblement gênée, j'ai fait des yeux de petite fille triste.

— C'est une blague ! dit Alexis. Awww, je m'excuse ! Je voulais pas te faire de la peine.

Il m'a encerclée de ses bras, en chuchotant :

— Je vais arrêter de parler de toi comme d'une marâtre, promis. T'es ben trop *sweet* pour ça.

Faussement boudeuse, je me suis attablée afin de profiter du festin. Une trentaine de bouchées plus tard, j'ai profité de son air distrait pour lancer trois canneberges séchées dans l'encolure de son chandail, comme ça, sans raison, juste pour le plaisir de le voir remonter le tissu pour les retrouver.

— Qu'est-ce que tu dirais d'aller te coller sur le canapé ? proposa Alexis. Si je continue de manger, je vais mourir !

— Ce serait vraiment moche pour ma première Saint-Valentin...

— C'est vraiment ta première ?

Il avait posé la question avec un regard attendri.

— J'ai pas tes talents naturels de séducteur en série, tsé...

J'avais décoché cette flèche passive-agressive, comme s'il m'avait attaquée dans mon inexpérience.

— Ben là ! Tu penses que j'ai eu combien de blondes pour dire ça ?

— Euh, je sais pas. L'autre fois, t'as dit que j'attirais ton attention parce que c'était moins facile qu'avec les autres...

— Ça veut pas dire que j'ai sorti avec toutes celles qui voulaient !

Dès qu'il a réalisé que sa phrase semblait vaniteuse, il a voulu la reformuler. Mais, je l'ai devancé.

— Donc, touuutes les filles de Québec faisaient la file devant chez toi pour être ta blonde. Et si on calcule le nombre de fois où t'as dit oui, ton pourcentage d'intérêt doit être assez faible...

Je le déstabilisais chaque fois qu'il était question de son succès auprès de la gent féminine.

— Lilie…, dit-il d'un ton grave.

— Alexis…

— T'es ma troisième copine. Pis, j'ai embrassé quatre ou cinq autres filles dans des partys. Je suis pas si mal…

En effet, je m'attendais à des statistiques plus impressionnantes.

— Pour moi, t'es le premier, répondis-je en baissant les yeux. Pour tout…

Il a pris mes doigts avant de répondre.

— C'est correct…

Sa voix était douce, mais je me sentais terriblement gênée.

— Je…, formulai-je sans trop savoir comment poursuivre. Je pense qu'on n'est pas rendus à la même place. Je suis super bien avec toi, mais il y a toujours une petite crainte dans ma tête…

J'ai pris un temps pour respirer avant de plonger :

— J'ai peur du jour où tu vas te tanner…

Il semblait éberlué. Comme si j'avais dit la plus grosse connerie de l'histoire.

— Pourquoi tu penses ça ? J'aime ça être avec toi ! Je suis super attentionné. Et…

— Je sais, dis-je en m'en voulant de ne pas avoir été plus directe. C'est pas ce que tu fais le problème, c'est ce que je suis pas prête à vivre…

Il comprenait enfin de quoi je parlais.

— Lilie… je te mettrai pas de pression pour ça !

— Tu dis ça maintenant, mais tu vas peut-être changer d'idée si ça me prend trop de temps. Je pars de zéro…

— Je suis à peu près aussi inexpérimenté que toi…

J'avais du mal à le croire.

— C'est vrai ! dit-il. Y a juste une de mes ex qui m'a déjà vu tout nu. On a essayé de faire la totale genre quatre fois, pis la moitié du temps, c'était juste malaisant.

Autant que notre discussion ?

— T'as quand même des kilomètres d'avance sur moi. Je veux pas être un poids qui t'empêche d'avancer, si t'as envie de réessayer.

— C'est avec toi que je veux réessayer ! Quand tu seras prête… Tsé, si j'ai attendu quatre mois avant qu'on ait une première vraie discussion, imagine à quel point je peux être patient pour le reste !

Fidèle à son habitude, il avait trouvé les mots pour me rassurer.

— Je sais tout ça, murmurai-je en me calmant. C'est juste que… J'ai souvent entendu que les gars pensaient mille fois plus souvent au sexe que les filles.

Il ne semblait pas aimer mes explications.

— C'est vrai ! m'exclamai-je. En plus, l'autre jour, la prof de bio a expliqué que les hommes atteignent leur *peak* sexuel autour de dix-huit ans, alors que chez les femmes, c'est genre après trente-cinq. Votre libido est pas mal plus intense à notre âge. Pis t'es pas loin d'avoir dix-huit…

— Premièrement, dit-il sur la défensive, je suis pas « les gars ». Si on était tous pareils, ça voudrait dire qu'Émile, ton père et moi, on est des copies conformes…

Sa comparaison m'a fait l'effet d'une douche froide.

— Deuxièmement, ajouta-t-il avec un sourire dans la voix, les scientifiques ont raison : je pense vraiment trop au sexe ! Mais, ça veut pas dire que je suis un gros tas d'hormones qui attend juste de te sauter dessus ou que je vais vouloir casser si on n'a pas couché ensemble dans un mois…

Il m'avait pratiquement convaincue. Jusqu'à ses derniers mots.

— Je sais pas combien de temps ça va prendre, Alexis… Peut-être trois semaines ou trois mois. Je veux pas que…

— Lilie ! Je vais jamais te laisser pour ça, OK ? Je t'ai pas invitée ici pour avoir du sexe. Et, je suis pas avec toi seulement pour baiser. Notre relation vient juste de commencer, mais c'est sérieux pour moi. J'ai besoin que tu me croies et que tu veuilles la même chose.

Mes derniers doutes se sont évaporés.

— Genre, passer le reste de nos vies ensemble, faire trente-quatre bébés et être plus cool que mes parents ?

— Exactement, dit-il en m'enlaçant.

J'ai profité des secondes contre lui pour faire le plein de vanille nordique.

— Alexis, chuchotai-je. Je suis bien avec toi. Je veux pas que ça arrête…

— Fiou ! murmura-t-il à mon oreille. Comme j'ai déjà mis un dépôt pour l'achat de notre future maison, j'avais peur d'avoir perdu toutes mes économies.

Il a ri de sa propre blague, avant de poursuivre.

— Sérieusement, t'es la plus belle chose qui pouvait m'arriver ici.

J'ai senti mes papillons virevolter dans tous les sens.

— Si ça te tente, reprit-il, j'ai tout ce qu'il faut pour regarder un film. J'ai apporté une télé dans le coffre de la voiture.

— Tu veux regarder une comédie romantique quétaine pour la Saint-Valentin !

— Absolument pas !

Le sourire tannant, il a sorti de son sac à dos un DVD de *Breakfast Club*, un film dont je n'avais jamais entendu parler. Contrairement à ce que j'imaginais, Alexis-je-suis-né-pour-dire-des-affaires-adorables n'avait pas choisi une histoire d'amour, mais un truc *vintage* de 1985, dans lequel cinq élèves du secondaire qui n'ont rien en commun – un délinquant, une fille à papa, un sportif, une excentrique et un surdoué – se retrouvent en retenue, obligés de rédiger une dissertation de mille mots, afin de répondre à la question « Qui pensez-vous être ? ».

— Je me suis dit que ça te ferait du bien de voir des ados se rebeller contre l'autorité, expliqua Alexis. Ma mère trouve que c'est un des meilleurs films d'ados de l'histoire.

J'ai jubilé en voyant des jeunes de mon âge se révolter dans leur école et en découvrant la musique, les vêtements et les expressions d'un film sorti cinq ans avant ma naissance. Par-dessus tout, j'ai réalisé que les personnages étaient aux prises avec la même interrogation qui occupait mon esprit depuis deux mois.

Qui es-tu ?

En les observant prendre conscience des liens insoupçonnés qui les unissaient malgré leurs différences et des doutes qu'ils avaient tous quant à leurs capacités, je me suis identifiée… à moitié. Depuis toujours, j'étais tiraillée par deux idées contraires. La première suggérait que j'étais née pour réaliser de grandes choses. L'autre me rappelait sans arrêt que j'étais une fille banale, dans une ville banale et que mon avenir ne pourrait être autre chose que… banal. Ce douloureux sentiment s'était accentué le jour où j'avais prouvé aux plus grands professeurs au pays que j'étais une musicienne talentueuse parmi tant d'autres, incapable de révéler ce qui la démarquait.

Découragée par mes réflexions, j'ai tourné la tête vers Alexis. À ma grande surprise, je l'ai vu essuyer une larme, gêné, avant de filer à la cuisine pour prendre un verre d'eau. Je l'ai laissé respirer, avant d'oser une approche.

— C'était la première fois que tu le regardais ?

Soulagé que je ne le questionne pas sur son sursaut d'émotions, il a répondu qu'il avait refusé de le visionner avec sa mère durant les fêtes, parce qu'il voulait le découvrir à mes côtés. Puis, il m'a expliqué qu'il ressemblait à presque tous les personnages, sauf à l'excentrique, parce qu'il aurait trop de mal à vivre avec les regards négatifs qu'elle attirait. À cet instant, j'ai senti une faille s'ouvrir en lui.

— Qu'est-ce qui se passe, Alexis ?

Son regard s'est accroché au mien, me laissant voir un espace auquel je n'avais jamais eu accès. Quelque chose de gris mélancolique.

— Je sais pas comment répondre à ça. Je... je parle jamais de ça. J'ai dû voir une psy, il y a quelques années... Mes parents s'inquiétaient pour moi.

Il a fait une moue contrariée, avant de continuer.

— Je faisais des crises quand j'avais dix ans. Je pouvais hurler pendant une heure dans ma chambre... Ma mère me bombardait de questions pour comprendre, mais comme je répondais pas, elle a vérifié avec mes profs et mon entraîneur. Ils ont dit que j'étais un élève modèle, toujours souriant, et que je m'entendais bien avec tout le monde. Malgré ça, je faisais des crises toutes les deux, trois semaines. Jusqu'à ce que je me casse une main en frappant un mur...

Je ne pouvais pas imaginer comment ce garçon, l'incarnation même de la gentillesse, s'était rendu là. Des dizaines de questions emplissaient mon esprit, mais le chaos intérieur que je percevais chez lui n'était pas de ceux qu'on pouvait interrompre.

— Un jour, mon père m'a placé dans un coin de la maison, sans distraction, pour que j'arrête de crier. Il m'ignorait pour me faire comprendre que j'aurais pas son attention en hurlant. Quand j'ai compris que mes parents ne me regardaient plus et qu'ils ne m'écoutaient plus… je me suis mis à frapper sur le mur de toutes mes forces! Je me souviens même plus de ça… Ma mère m'a dit qu'après dix coups, elle a entendu un craquement. Ils ne savaient plus quoi faire, alors ils m'ont amené voir une psy. Selon elle, j'essayais pas vraiment de me faire du mal…

— Tu voulais peut-être les punir, eux…

Il était aussi surpris de mon hypothèse que je l'étais d'avoir interrompu ses confidences.

— Peut-être…, répondit-il. En fait, plus je parlais avec la psy, plus je réalisais à quel point je vivais mal avec l'état de ma sœur… Je l'adore, c'est pas ça le problème. Sauf qu'elle a des besoins particuliers et mes parents lui donnent toujours dix fois plus d'attention. Ils ont des horaires de fou au travail et, quand ils sont à la maison, ils font faire des exercices à Éli. Ils essaient de s'adapter à ses manies. Pendant ce temps-là, moi, je suis le petit gars d'humeur égale, fin avec tout le monde, pas pire à l'école, très fort dans les sports, et je passe toujours en deuxième… Je sais que mes parents sont fiers de ce que je fais, mais au fond de moi, il y a toujours un gros vide.

Je comprenais enfin d'où venait son besoin inépuisable de charmer ceux qu'ils rencontraient pour avoir leur attention. Depuis que nous étions ensemble, j'étais à la fois conquise par sa capacité d'entrer en relation avec tout le monde et terrorisée de le voir s'intéresser aux autres. Quand je le voyais aller, j'imaginais qu'il allait se désintéresser de moi, comme si je n'étais pas assez spéciale pour le satisfaire.

— Tsé, reprit-il, même si j'essayais de combler mon manque avec le reste de la planète, ça remplaçait pas ce qui se passait à la maison. À un moment donné, mon cerveau a tilté et je me suis dit que si mes parents s'occupaient pas de moi quand j'étais adorable, je devrais peut-être essayer l'inverse. C'est là que les crises ont commencé. Et quand j'ai vu qu'ils m'ignoraient quand même, c'est comme s'ils m'avaient électrocuté…

J'ai laissé passer cinq secondes.

— Est-ce que les choses se sont replacées ensuite ?

— Ils ont essayé d'organiser des activités spéciales avec moi. Je me suis calmé. Ils ont cru que mes problèmes étaient derrière eux, alors ils ont repris leurs vieilles habitudes. Et j'ai continué d'aller chercher à l'extérieur de ma maison ce qu'il me manquait…

Je croyais m'entendre parler.

— Je me suis un peu détaché, ajouta-t-il.

— Qu'est-ce que tu veux dire ?

— J'ai essayé de ne plus avoir de grandes attentes envers eux… Je prends ce qui passe quand ça passe, et je me concentre sur moi, sur mon sport, sur ce que je dois faire pour performer, sans l'aide de personne.

Il y avait d'étranges similitudes et d'énormes nuances entre ses parents et les miens. Les Jutras ignoraient comment combler mes besoins affectifs et ceux de mes frères, alors que les Séguin utilisaient tous leurs outils pour veiller sur leur fille aux besoins particuliers.

— Aye, reprit-il, je m'excuse tellement de te casser les oreilles avec ça. C'est la Saint-Valentin, et je suis là à te raconter toutes mes histoires poches…

Je l'ai regardé avec tendresse.

— Au contraire, ça me touche que tu me fasses assez confiance pour m'en parler.

Quelque chose dans l'air imposait le silence. Nous nous sommes fixés sans le moindre malaise. Mes doigts se sont mêlés à ses cheveux pendant que nous nous embrassions, comme pour faire taire ce qui se passait dans sa tête. Rapidement, j'ai senti son excitation contre ma cuisse, à travers son pantalon. Sans réfléchir, j'ai glissé mes doigts sous son chandail…

— Lilie…, dit-il dans un mélange de soupir et de frisson. Tu sais que t'es pas obligée de…

J'ai éclaté de rire.

— Je veux juste pas que t'aies l'impression d'avoir à me prouver quelque chose.

— Pantoute ! Je fais juste ce qui me tente. Tsé, si j'allais trop loin, je jouerais sûrement avec les coutures de ton entre-jambes, pour voir si c'est ton portefeuille que j'ai senti tantôt…

Il m'a regardée, ébahi.

— *Come on!* lâcha-t-il en se calant dans le canapé, à un mètre de distance. Dis-moi pas des affaires de même !

— Faut ben que j'en parle, si je veux le faire un jour !

— Oui, mais en attendant, j'ai plein d'images !

— Ben prends des notes !

Il a levé les yeux au ciel.

— Je pense qu'il est l'heure que je te ramène. Sinon, je vais avoir tellement d'idées que je m'endormirai pas !

J'ai hésité une fraction de seconde.

— Bah, tu feras comme tous les gars de ton âge... tu te toucheras !

Il n'en revenait pas que j'aie parlé ouvertement de masturbation.

— Quoi ? relançai-je. J'ai deux frères de treize et de dix-sept ans. Ça fait longtemps que j'ai compris que s'ils utilisaient trois fois plus de Kleenex que moi, c'était sûrement pas parce qu'ils avaient toujours le rhume !

: :

La fin de soirée de Jonathan et de Jérémie était sans contredit moins agréable que la mienne l'avait été. Je les avais entendus crier avant même de franchir la porte d'entrée. Selon ce que je comprenais, les plans qu'ils avaient élaborés en vue de la semaine de relâche étaient tombés à l'eau quand mon aîné avait avisé notre cadet qu'il passerait cinq jours à faire de la randonnée en montagne et du camping hivernal avec Sarah-Maude.

La situation parfaite pour faire enrager Jérémie.

J'assistais à leur échange en ne sachant pas quel parti prendre. La réaction de mon petit frère était immature, mais chaque fois que Jo le mettait de côté pour être avec sa blonde, il se retrouvait sans son grand frère, aussi son meilleur ami et son idole. Pour ces raisons, j'ai tenté d'être la Suisse dans leur petite guerre mondiale.

— Jérémie, je vais passer du temps avec toi, si tu veux. On volera le Ski-Doo de papa, on creusera un igloo pour dormir quand il va nous mettre dehors de la maison, pis on fera du pouce pour aller à la montagne.

Il s'est calmé d'un coup.

— Ouin…

Évidemment, Jo a mis de l'huile sur le feu que j'essayais d'éteindre.

— Tu regarderas Lilie licher les amygdales d'Alex dans tes temps libres !

Craignant que son congé soit gâché par deux histoires de cœur, Jé s'apprêtait à riposter lorsque j'ai répliqué.

— Aucune chance que ça arrive ! Alexis part toute la semaine à Calgary pour une compétition. Je vais relaxer ici, passer du temps avec Émile et avoir plein de temps sans rien faire, moi aussi.

— On s'en reparlera…, dit Jé en retraitant vers sa chambre au sous-sol.

Je ne comprenais pas comment Jonathan avait pu le flusher ainsi, mais je l'enviais terriblement de partir à l'aventure avec son amoureuse pendant plusieurs jours. Pour ma part, je devais me contenter de quelques heures par semaine avec Alexis. Et quand un long congé se profilait, je devais le passer sans lui…

9

Depuis mes débuts à la Fruiterie Caron, j'avais appris plus que je ne pouvais l'imaginer. Pendant que je préparais des morceaux de fruits pour les clients débordés/paresseux, j'écoutais mon patron réciter à voix haute chaque élément à considérer: les commandes auprès des fournisseurs, la paye des employés, les horaires, les comptes, les nouveaux produits à tester.

Ouf!

Au terme de ma première semaine, il m'avait demandé de lui fournir douze heures de disponibilités hebdomadaires, plus trois en option. J'avais accepté sans hésiter. L'absence de musique dans mon horaire me donnait chaque jour l'impression d'avoir trop de temps libre. Je rentrais de l'école, je niaisais avec mes frères, on soupait, je faisais mes devoirs et je regardais le reste de la soirée s'ouvrir devant moi comme un trou noir.

Pas de quoi être fière...

Heureusement, je travaillais ce soir-là. Le magasin était fermé depuis dix-huit heures. Je m'activais dans les allées à renflouer les étagères. Monsieur Caron travaillait dans l'arrière-boutique et son neveu Marc-Olivier comptait le contenu de la caisse. Vague connaissance de mon grand frère, il étudiait en sciences humaines au Cégep de Matane et prévoyait s'inscrire en enseignement à l'université. Facile d'approche comme son oncle, il m'avait rapidement fait sentir à l'aise, ne refusant jamais de répondre à mes questions et prenant toujours un malin plaisir à mettre sa musique dans le tapis, après la fermeture. Nous tentions d'accomplir nos tâches en dansant sur les vieux succès de Michael Jackson lorsque trois coups ont été donnés dans la vitrine. Marco a fait des simagrées pour indiquer que le magasin était fermé avant que je réalise qui se trouvait dehors.

Alexis Séguin.

Excitée comme une sauterelle, j'ai couru lui ouvrir.

— Allô ! dis-je en le prenant dans mes bras.

— Je passais dans le coin et je me suis dit que j'arrêterais te saluer.

— Même pas vrai ! répliquai-je avec un sourire à m'en décrocher la mâchoire. Tu t'entraînais jusqu'à cinq heures et demie et tu rentrais chez toi. C'est pas du tout sur ton chemin !

Il a fait une moue amusée.

— Je… je m'ennuyais.

— Moi aussi ! J'ai même appris ton horaire pour t'attraper durant tes trois minutes de temps libre par jour.

Il n'y avait aucun reproche dans ma voix.

— Je devrais peut-être me faire engager ici pour te voir plus souvent, répondit-il. Vous avez l'air d'avoir du fun !

— Oh ! dis-je en me retournant. Alexis, je te présente mon collègue, Marc-Olivier. Marco, c'est mon copain, Alexis.

Alexis avait sourcillé en entendant le surnom de mon collègue.

— Je veux pas trop vous déranger, dit-il.

— Au contraire ! Je suis contente que tu sois arrêté. Et j'ai hâte qu'on prévoie une autre soirée !

Mon point d'exclamation a été suivi d'un baiser sans pudeur. Je vivais de mieux en mieux avec l'idée que des gens soient témoins de notre affection. Lorsque Alexis est parti, j'ai entendu Marc-Olivier ricaner dans son coin.

— Pas le droit de rire ! dis-je en affichant un sourire niais.

— Ben non, ben non… vous êtes mignons. En passant, tu diras à ton chum qu'il a pas besoin d'être jaloux de moi.

— Quoi ? ripostai-je en réalisant qu'il avait sans doute raison.

— Il m'a détruit les jointures en me serrant la main. Et, il était ben trop content que tu l'embrasses devant moi.

Oh. Mon. Dieu. Alexis-Séguin-je-peux-avoir-toutes-les-filles-du-monde est jaloux.

— Pour une fois que c'est pas moi la jalouse, ça fait du bien !

Je m'en suis voulu sur-le-champ d'avoir verbalisé une telle idée à quelqu'un que je connaissais si peu.

— Pourtant, t'es belle, drôle, t'as une vraie personnalité, pis tu ressembles pas aux autres filles de la poly. T'as rien à envier à personne.

Je croulais sous la gêne.

— Pourquoi t'as dit qu'Alexis devait pas être jaloux, alors ? S'il entendait ce que tu viens de dire sur moi…

Mon collègue m'observait comme s'il venait d'entendre la plus grosse énormité de l'histoire.

— Lilie ! Je suis pas en train de te cruiser !

Il a éclaté de rire.

— Je sais pas moi…

Si j'avais cru un instant que je pouvais susciter de l'intérêt chez deux garçons en même temps, il n'en était rien.

— Hey ! relança-t-il. Fais-pas cette tête-là ! Je le comprends de triper sur toi, Alexis. C'est juste que t'es trop féminine pour moi…

— Trop féminine ? m'exclamai-je. Mais je…

J'ai alors compris son double sens. Marc-Olivier était gai.

— Je suis donc ben niaiseuse ! Je comprenais rien… Mais, comment ça se fait que j'étais pas au courant ?

— Ben, parce que j'ai pas envoyé un communiqué de presse pour annoncer la nouvelle au *Téléjournal* !

— Non, j'veux dire, il doit y avoir du monde qui le sait à Matane, pis les nouvelles voyagent vite d'habitude…

— Ça a l'air que j'ai trouvé le moyen de contrôler le mémérage ! dit-il, fier de lui. J'en ai parlé à cinq, six personnes depuis un an, et je leur ai demandé de garder ça pour elles.

Méga scoop.

— Est-ce que ton oncle le sait ? chuchotai-je.

— C'est le premier à qui je l'ai dit !

— Ah ouin ! répliquai-je, surprise qu'il se soit confié au gentil, mais vieux jeu monsieur Caron.

— J'étais certain que tu l'avais compris sans que je t'en parle…

— Comment ça ?

— Ben, je pensais que t'en connaissais un et que t'étais plus allumée que la moyenne pour lire entre les lignes…

: :

Mauvaise nouvelle pour ma motivation scolaire : je comptais dorénavant les minutes qui me séparaient de mes prochains quarts de travail. Dès que la cloche sonnait, je filais vers la fruiterie avec un enthousiasme débordant.

Dans l'arrière-boutique, monsieur Caron me regardait avec amusement.

— Prends ton temps, ma belle fille. Les oranges vont pas se sauver si tu les places pas dans la prochaine minute.

— J'aime ça, être efficace ! J'essaie de battre mes records !

Une ride s'est incrustée sur son front.

— En tout cas, je veux pas que tu t'épuises. Je saurais ben pas comment je te remplacerais.

Ses mots avaient eu l'effet d'une décharge électrique. Je remplissais les étalages à la vitesse de l'éclair, en m'assurant que la présentation visuelle soit impeccable. Je coupais fruits et légumes presque aussi rapidement qu'un chef, avec une concentration de tous les instants. Je recevais les commandes, mettais Marc-Olivier au défi de soulever/déplacer/décharger les boîtes plus vite que moi. La sueur perlait sur mon front, mais je m'en foutais. Je voulais prouver à monsieur Caron qu'il n'avait pas eu tort de m'avoir fait confiance.

Pour un samedi matin, son magasin connaissait une affluence exceptionnelle. Pendant qu'il s'occupait de la caisse en discutant avec les clients, Marc-Olivier et moi courrions dans les allées.

Go, go, go !

Lorsqu'ils m'ont proposé de prendre une pause, j'ai refusé, sous prétexte que j'étais en pleine forme et que nous ne pouvions pas nous le permettre. Seules quelques semaines avaient suffi pour que je parle du succès du commerce au « nous ». Je me sentais chez moi à la fruiterie. Je connaissais déjà tous les recoins. La veille, j'étais même restée trente minutes de plus pour noter le nom des produits et apprendre leur prix par cœur.

Je suis un peu intense, je sais…

Quelque chose en moi vibrait quand j'agissais de la sorte. Je ne voulais pas seulement surprendre monsieur Caron, j'avais besoin de me dépasser.

Quitte à découvrir un nouveau sens au mot « épuisement »…

Marc-Olivier et moi défaisions des boîtes à un train d'enfer. Quand j'ai voulu soulever un arrivage de pommes, mes biceps ont flanché. Furieuse et orgueilleuse, j'ai poussé le paquet vers le mur, espérant trouver un appui, mais toute ma volonté ne donnait rien. J'ai vu un brouillard s'installer sur mes yeux, mon souffle s'est coupé et je me suis effondrée en cognant légèrement ma tête sur le mur de béton. Mon collègue s'est précipité pour m'aider, mais j'avais besoin d'espace. Je manquais d'air. Les larmes faisaient la file devant mes pupilles. Plus je tentais de me calmer, plus les symptômes s'amplifiaient. Une douleur m'a soudainement crispé le cœur, mais j'étais trop jeune pour faire une crise cardiaque.

Au bout de cinq secondes, j'ai posé ma main sur l'avant-bras de Marco et je me suis concentrée sur le contact de sa peau, plutôt que de me laisser submerger par la vague dans mon propre corps. Il s'est assis à mes côtés en me flattant le dos et en répétant « ça va aller » avec toute la bonté du monde. Les vertiges m'ont quittée, ma respiration a ralenti, mais je me battais encore avec mes poumons. Voyant que j'étais en état de choc et que j'avais l'air de suffoquer, il a placé une main dans le haut de mon dos et la deuxième au-dessus de ma poitrine : la pression s'est immédiatement relâchée et l'oxygène a trouvé son chemin. Je me suis tournée vers lui, les joues mouillées, la peau rouge et les cheveux emmêlés, terriblement gênée qu'il ait été témoin de cet épisode.

— Je m'excuse…

— Lilie, dit-il en fouillant mon regard, qu'est-ce qui s'est passé ?

Je connaissais trop bien la réponse.

— Crise de panique, dis-je la mort dans l'âme. Ça m'arrive quand j'en fais trop. Je pensais que ça m'arriverait plus…

En quittant la musique, j'espérais être débarrassée de ces réactions qu'une seule personne savait gérer…

— Tu m'as calmée exactement comme mon ancien prof de musique.

— Monsieur Forest…, chuchota Marc-Olivier avec un sourire mélancolique.

Mes yeux se sont écarquillés.

— J'ai suivi des leçons avec lui durant trois ans, continua mon collègue. Je l'ai tellement aimé…

Un sursaut d'émotion m'a traversée. Jamais je n'avais réalisé à quel point je m'ennuyais de lui.

— Pourquoi t'as arrêté ?

Ma question a ravivé tout ce dont je m'ennuyais : son écoute, ses conseils, sa sagesse et l'impression qu'il croyait en moi plus que personne.

— Un gars qui joue de la flûte… à Matane, dit Marco avec cynisme. Je me suis tanné de me faire écœurer.

Comme Émile qui s'isolait, tous les midis, à l'abri de la méchanceté du monde.

— Je suis sûre que tu t'entendrais bien avec mon meilleur ami.

— Pourquoi ?

— Vous avez une énergie semblable, un côté artistique. Vous me faites rire. Et vous savez comment me changer les idées…

— Ça n'a rien à voir avec mes préférences ?

Je ne savais pas quoi répondre. J'avais peur de trahir un secret qu'on ne m'avait jamais confié.

— Il t'en a jamais parlé, hein ? relança-t-il.

J'ai hoché la tête de droite à gauche, en me mordant l'intérieur des joues pour me punir.

— T'inquiète pas, renchérit-il. Je le dirai à personne.

— Pourquoi j'ai l'impression que t'en sais plus que moi ?

À son tour de marcher sur des œufs.

— Promets-moi que tu vas garder ça pour toi…

— Marco, je ferai jamais de tort à Émile.

Il a soupiré.

— On a déjà jasé sur un site, Émile et moi… Un site de rencontres pour gais.

— T'es sûr que c'était lui ?

— Il avait pas de photo, mais je l'ai reconnu en discutant.

Émile avait-il refusé de postuler à la fruiterie pour ne pas côtoyer Marc-Olivier ?

— Vous êtes-vous déjà vus ?

— Non. C'est pas mon genre, ton ami. *Anyways,* il faut vraiment pas qu'il sache que je t'en ai parlé. Sinon, il va se refermer comme une huître.

J'étais touchée de voir que mon collègue voulait protéger quelqu'un qu'il ne connaissait pratiquement pas.

— Je suis censée dire quoi, s'il m'en parle ?

— Fais-lui juste comprendre que ça changera rien entre vous.

Je vais devoir vivre avec ce secret-là combien de temps ?

: :

Sur le chemin du retour, des flocons flottaient dans le ciel, alors qu'une question tournait dans ma tête.

D'où sort ta crise de panique ?

Je ne trouvais aucune raison logique pour la justifier. Je ne jouais pas mon avenir au magasin. Ma vie ne dépendait pas de mes performances d'employée. Et monsieur Caron n'occupait qu'une place mineure dans ma vie.

Alors, pourquoi as-tu voulu l'impressionner ?

Peut-être cherchais-je à combler un besoin de validation ou désirais-je prouver - encore une fois - que les filles étaient aussi bonnes que les gars. Peu importe, je ne pouvais plus continuer ainsi. Mes défis de vitesse, de force et d'efficacité ne servaient à rien. Il ne s'agissait que d'un boulot étudiant…

Au moment où le chemin de la Grève est apparu devant moi, j'ai pensé que la meilleure façon de calmer mes instincts de performance était de rendre visite à Émile : mon ami avait la formidable faculté d'éteindre mon cerveau. Quand je suis arrivée dans le salon, il était en train de lire. Je me suis étendue à ses côtés, la tête lovée contre son épaule, et je me sentais déjà mieux. Après une quinzaine de minutes, j'ai brisé le silence.

— Comment ça va à l'école ?

Il a soupiré.

— Tu sonnes comme ma mère…

Il y a quand même pire dans la vie que d'être comparée à Maude Cournouailler.

— Tu sais ce que je veux dire…

Je ne veux pas que tu me parles de ta passion pour les mathématiques… je veux juste savoir si le gros épais te fait encore la vie dure, sans t'en parler directement.

— C'est correct…, dit-il en changeant de ton. Il est moins sur mon dos depuis qu'il a une blonde.

— Pis les autres ?

— Lilie, arrête…

Sa fermeture me déstabilisait. Même si je croyais que la discrétion était souvent la meilleure solution, j'étais habituée qu'il soit un livre ouvert. Quelque chose était en train de changer chez lui. Sauf que je ne pouvais pas le confronter avec mes théories.

— T'es sûr que tu vas bien ?

— Oui, oui. Je suis juste un peu stressé par mon exposition.

À la mi-mars, Émile aurait l'occasion de présenter ses photos en public pour la première fois. Régine, la propriétaire de notre café préféré, lui avait suggéré d'agrémenter les murs de son commerce pendant quelques semaines. Le jour où il m'avait annoncé la nouvelle, j'avais affiché une mine heureuse, même si une part de moi était jalouse de son évolution.

— Je suis sûre que ça va bien aller, coco.

— Moi aussi ! C'est juste beaucoup de choses à faire.

J'avais toujours admiré sa capacité à croire en son art. Au même moment, Paul est arrivé par le couloir.

— Monsieur est tellement débordé qu'il ne veut même plus m'aider, lança-t-il.

— Je peux pas rester ton assistant toute ma vie, répliqua son fils.

Après cinq ans à suivre les conseils de son père, Émile jubilait à l'idée de franchir une nouvelle étape.

— Tsé, reprit mon ami, si je veux devenir meilleur que toi un jour, il faut que je sorte de ma zone de confort.

À bientôt seize ans, Émile avait assez de recul devant son travail pour identifier ses prochains défis.

— Toi, dit Paul à mon endroit, pourrais-tu m'aider ?

Avant même de connaître les détails, j'étais prête à accepter.

— C'est sûr, mais j'ai pas les connaissances d'Émile en photo…

Il a balayé mes craintes du revers de la main en m'expliquant qu'il avait d'abord besoin d'un regard extérieur pour sélectionner ses meilleures photos. Une rétrospective de son travail serait présentée à Montréal, en mai. Il prévoyait passer en revue vingt ans de carrière et réorganiser son classement.

— T'en penses quoi ? demanda-t-il.

Sa proposition tombait à point. Plus je diversifiais mes préoccupations, mieux je me portais.

— On commence quand ?

Qu'il me fasse assez confiance pour m'impliquer dans un projet me remplissait d'une joie impossible à mettre en mots.

: :

Le lendemain, peu après mon réveil, ma mère s'est assise devant moi, l'air solennel.

— Comment ça se passe avec Alexis ?

— Bien…, répondis-je légèrement sur la défensive.

— Bon… Ton père pis moi, on aimerait ça le rencontrer. Je pense qu'il est temps qu'on apprenne à le connaître.

Au fond de moi, je craignais le jour où Alexis découvrirait les humains inadéquats qui me servaient de parents.

— Vous voulez faire ça quand ?

— Ce soir, si vous pouvez.

Oh boy…

: :

Jonathan et Jérémie semblaient fébriles comme à la veille de Noël. Ma mère nettoyait tout ce qui n'avait pas besoin de l'être. Mon père a grogné en réalisant que le souper ne serait pas servi à dix-sept heures, puisque Alexis avait besoin de temps pour finir son entraînement et s'en venir. Mon copain avait accepté mon invitation avec une joie déconcertante, comme si rien de ce qui s'annonçait ne l'effrayait. Et moi, j'ai tout fait pour me détendre : dire un nombre record de niaiseries avec Émile après l'école, boire une tisane, refuser de m'en faire avec mon look et mettre fin au débat « *to kiss or not to kiss* » devant le reste de ma famille.

Un câlin chaleureux, ce fut.

Mes frères nous observaient comme des commères. Mon père lui a donné une poignée de main d'acier. Ma mère nous a invités à table, en y déposant une quantité gargantuesque de nachos. Mon copain lui a souri, mais j'ai senti une légère nervosité le gagner : j'imaginais que la situation l'angoissait finalement autant que moi, mais il s'est calmé quand Jérémie a apporté une assiette de crudités. À cet instant, je me suis souvenue qu'Alexis se préparait pour une compétition et j'ai compris qu'une combinaison de croustilles, de fromage et de salsa n'était sans doute pas ce qu'il avait imaginé pour rester au sommet de sa forme.

— Comme ça, tu fais du judo, dit mon père. Es-tu pas pire ?

Les résultats. Toujours les foutus résultats.

— Je viens de changer de catégorie de poids, alors c'est difficile à dire, répondit Alexis. J'ai gagné un titre provincial, l'an dernier.

— Est-ce qu'on est bon, là-dedans, au Québec ?

Alexis a donné assez d'informations pour que mon père comprenne qu'il était un athlète de haut niveau. Par la suite, les questions ont porté sur le travail de ses parents, son appréciation de Matane depuis six mois et ses origines roumaines. Lorsqu'il a expliqué pourquoi ses grands-parents avaient fui le régime politique au début de la Deuxième Guerre mondiale pour s'établir d'abord à Paris, puis à Québec, ma mère a fait une comparaison qui m'a d'abord semblé bizarre avec son propre sang à moitié autochtone. Elle a souligné que ma grand-mère avait été exclue de sa communauté en mariant un Blanc, peu avant d'avoir vingt ans, et qu'elle s'était résignée à ne pas inculquer sa culture à ses enfants, si bien que ma mère avait l'impression d'avoir grandi avec une part manquante de son héritage familial. Mon père, mes frères et moi ne disions pas un mot, ne l'ayant jamais entendue parler de cela et ne sachant pas si elle venait de faire un lien maladroit entre l'histoire des Premières Nations et celle d'un peuple ayant fui la guerre. À l'autre bout de la table, Alexis acquiesçait avec le sourire.

— Je comprends ce que vous voulez dire, madame Jutras. Par contre, c'est un peu différent avec mes grands-parents. Ils ont tout fait pour que je connaisse leurs racines et les traditions de la Roumanie.

— Tu dois les voir moins, maintenant que vous vivez ici, répondit ma mère.

Elle lui consacrait toute son attention, soudainement dotée de la faculté d'écouter.

— C'est une des raisons pour lesquelles je m'ennuie le plus de Québec.

Alexis était touchant de franchise. Ses premiers pas dans ma famille se passaient beaucoup mieux que je le prévoyais.

— T'as un an de moins que Jo, hein ? renchérit mon père en connaissant déjà la réponse. Donc, l'an prochain, tu vas faire tes choix de cours pour le cégep. Sais-tu où tu vas ?

Il cherchait encore à découvrir ce que les gens font, plutôt que de s'intéresser à ce qu'ils ont dans le cœur.

— J'hésite encore, dit Alexis. De toute façon, ce sera pas ma priorité pour les prochaines années.

Ma mère, qu'il avait pourtant gagnée à sa cause depuis le début de la soirée, le regardait d'un air suspicieux.

— Comment ça ?

— Je vais sûrement étudier à temps partiel pour me concentrer sur mon sport. Si je veux une place dans l'équipe nationale, il va falloir que je m'entraîne plus.

— Tu vas faire le paresseux au cégep à cause de tes loisirs ?

Mon père venait de lui envoyer un crochet en pleine gueule.

— Papa ! m'insurgeai-je. C'est pas juste un loisir ! Il est super bon…

— Ouin, ben regarde où ça t'a menée avant Noël…, répliqua-t-il amer. Tu te retrouves le bec à l'eau.

— Ben, au moins, moi, j'ai essayé de réaliser un de mes rêves au lieu d'emprunter la vie de quelqu'un d'autre !

Je ne pouvais pas m'empêcher de contredire sa mauvaise foi, même s'il fallait pour cela écorcher les choix, tout de même louables, qu'il avait faits en prenant le relais de son oncle malade. Et pour une rare fois, j'évoquais ma participation à la compétition sans regret ni remords. J'étais fière d'avoir rêvé grand, chose que mon père n'avait pas eu le privilège ou le courage de faire. Il me toisait comme si je l'avais menacé de mort. Alexis a tenté de rattraper la situation.

— Monsieur Jutras, si je suis sélectionné dans l'équipe nationale, je vais avoir des subventions équivalant au salaire d'une job à temps plein. Mes parents ne paieront plus pour mes voyages de compétition, mon affiliation au club, mon équipement et les traitements que je reçois chaque année. Si je suis économe, je vais pouvoir en mettre un petit peu de côté. Ça va me laisser le temps de trouver un programme qui me passionne vraiment. J'ai réfléchi à mon affaire.

J'admirais l'aplomb avec lequel il répondait à mon père.

— C'est sûr que si ton plan est de te faire vivre par le gouvernement, ça va être facile, ta vie…

— Voyons donc, papa ! s'emporta Jonathan.

— Ce que Ghislain veut dire…, reprit maman, c'est que tout ça, c'est ben incertain. Tu peux pas juste compter sur le sport et ce que le gouvernement va te donner…

Mes parents avaient toujours refusé l'aide financière de l'État, même durant leurs années les plus difficiles. Mon père répétait qu'il gérait sa *business* tout seul et qu'il n'avait besoin de personne pour nourrir sa famille. Comme si bénéficier des programmes sociaux était une marque de faiblesse.

— Nenon, relança mon père, ce que je veux dire, c'est que nos taxes devraient pas servir à encourager des jeunes de ton âge à tout lâcher pour pratiquer des sports que personne connaît !

Gros con !

Pour la première fois depuis que je le connaissais, j'ai vu un mélange de stupéfaction et de colère sur le visage d'Alexis-je-veux-plaire-à-tout-le-monde. Sa riposte semblait toute prête dans sa tête, mais je ne pouvais pas vivre avec les conséquences d'une chicane entre eux. Mes parents étaient capables d'inventer de nouvelles punitions pour m'empêcher de le voir. Je suis donc allée au front pour le défendre.

— En tout cas, une chance qu'on fait pas tous nos choix de société en fonction de ce que tu connais pas, parce qu'on n'irait pas loin dans la vie !

— Fais attention à ce que tu dis, ma petite fille !

— Inquiète-toi pas, j'ai plus rien à dire. On s'en va dans ma chambre.

J'ai fait signe à Alexis de me suivre.

— On vous a pas donné la permission de sortir de table ! martela mon père.

— Je pense que t'as assez jugé mon chum pour la soirée…, ripostai-je. Pis ta *game* de hockey va commencer. Tsé, faudrait quand même pas que tu délaisses tes millionnaires.

Avec Alexis sur les talons, je me suis dirigée d'un pas pressé vers ma chambre, ébahie par la tournure du souper. Mon père venait de donner une nouvelle signification au mot « odieux ». Ma mère s'était révélée presque sympathique. Mes frères avaient observé la scène en retrait, visiblement soulagés de ne pas être la cible du patriarche. Calme et charmant, Alexis avait été parfait. Moi, je me trouvais relativement détendue, vu les circonstances…

Comme s'il m'avait entendue être fière de moi, mon père a crié à mon endroit :

— Laisse ta porte ouverte !

J'ai voulu répliquer de toutes mes forces, mais Alexis a forcé mon silence avec un baiser. Dix secondes sont passées avant que nous éclations d'un grand rire franc. J'imaginais avec délectation l'incompréhension de mon père face à notre bonne humeur. J'ai ensuite proposé à mon copain d'installer mes oreillers dans un coin du plancher hors de la vue de quiconque passerait devant ma chambre.

— Je m'excuse tellement pour ce soir, dis-je en faisant une face d'épagneul. Tu voudras jamais revenir…

— Ben non ! J'ai eu plus d'attention en une soirée ici qu'en un mois chez mes parents !

Il se trouvait très drôle.

— Sérieux, reprit-il, je suis sûr que je vais le mettre de mon bord, le vieux snoreau !

— Bonne chance ! Ça fait respectivement dix-sept, quinze et treize ans que mes frères et moi on essaie, pis on est encore au pied de la montagne…

— Est-ce qu'il était aussi *rough* avec Sarah-Maude, quand il l'a rencontrée ?

— Non… parce qu'il la connaît de vue depuis qu'elle est petite. C'est la fille d'un de ses vieux chums. Mais, je te jure que le jour où Jonathan a demandé s'il pouvait l'inviter à dormir, il s'est fait revirer de bord !

Je racontais l'anecdote avec une sorte de soulagement. Contrairement au déséquilibre qui régnait chez les Séguin, mes frères et moi traversions les mêmes épreuves, chacun son tour ou tous ensemble.

— Ça veut dire que je dors pas ici ce soir ? ajouta Alexis pince-sans-rire.

— Parle pas trop fort !

Pendant plus d'une heure, nous avons alterné entre les baisers et les chuchotements, protégés par une bulle qui décuplait notre complicité. Le moment était si précieux que je n'ai – pratiquement – pas pensé au fait que j'ouvrais l'intimité de ma chambre à un copain pour la première fois. La chose pouvait sembler banale, mais si je me fiais aux anecdotes des M&M, cela pouvait s'avérer confrontant. L'année dernière, Emma avait invité son amoureux chez elle et elle avait passé tout un après-midi à ranger les restes de son enfance, les albums de musique qu'elle possédait sans les assumer et tout ce qui pouvait se révéler source de jugement.

Le contraire de ce qui se passait chez moi...

La tendresse dont le p'tit Roumain faisait preuve à mon égard et la curiosité avec laquelle il découvrait mon univers m'avaient rassurée instantanément. Il semblait étonné de découvrir des artistes pop comme Pink, Mariah Carey et Marie-Mai dans ma discographie, croyant que je ne jurais que par les vieux chanteurs français, le classique et la musique qui arrache les tympans. Lorsqu'il était tombé sur un vieux film qui avait marqué notre enfance, *Le premier envol,* il m'avait fait promettre de le visionner avec lui au cours des prochaines semaines. Sa demande me ravissait. Chaque fois qu'il nous projetait dans le futur, en m'invitant à une soirée collée ou en nous imaginant faire les quatre cents coups durant l'été, je pétillais de l'intérieur.

Jour après jour, l'impression d'être banale, inintéressante et insuffisante, ployait sous le poids de son intérêt pour moi. Malgré mon inexpérience en couple, Alexis savait comment m'apprivoiser, me laisser le temps de venir jusqu'à lui et me faire sentir bien. J'avais craint qu'il me mette de la pression. Je m'étais imaginée en retard et inadéquate. Même mes parents nous imposaient une porte ouverte, convaincus que des jeunes de notre âge iraient plus loin qu'ils le voulaient sous leur toit. Mais il n'en était rien. Je pouvais dire au revoir à mon copain et m'endormir la paix dans l'âme. Taire les premiers signaux d'une crise de panique. Me laisser aller dans les bras de Morphée toute une nuit, comme je le ferais dans ceux d'Alexis Séguin.

Un jour…

: :

Je m'étais réveillée plus tôt qu'à l'habitude, comme si quelque chose de doux s'était déposé en moi. Plus d'une heure avant de partir pour l'école, j'ai traversé chez les voisins, en me retenant de gambader pour éviter de glisser sur la glace. La porte des Leclair s'était ouverte sur le visage endormi de Paul, un café à la main et un sourire en coin.

— Salut cocotte, dit-il en bâillant. T'as entendu nos signaux de détresse et tu viens en renfort ?

J'ai froncé les sourcils d'incompréhension.

— Émile est d'humeur massacrante, précisa-t-il. On envisage de le donner en adoption…

Son ton rieur ne cachait pas un agacement majeur.

— Qu'est-ce qu'il a ?

Paul a soulevé les épaules, l'air de dire « je le sais pas, je comprends rien, pis j'aimerais ça que tu m'éclaires ». Il s'est éclipsé dans sa chambre noire, me laissant le champ libre pour discuter avec Émile, qui fixait un bol de céréales molles. En lui donnant un câlin, j'ai senti son corps tendu, enfermé derrière un mur de protection. Me sachant en terrain miné, j'ai évité les questions directes et pris un détour…

— C'est hier soir qu'Alexis venait souper à la maison.

— Je le sais… Tu m'en as parlé pendant une heure, après l'école.

Son ton laissait présager plus qu'une mauvaise humeur matinale.

— Bon, dis-je doucement. Si tu veux pas savoir ce que mon père lui a reproché, pis comment mes parents ont joué aux chiens de garde toute la soirée, je vais pas te casser les oreilles avec ça…

Il a soulevé la tête, surpris que je batte en retraite si rapidement.

— J'ai pas dit ça.

Sa voix était teintée d'une agressivité contenue.

— Au début, c'était correct, débutai-je en vérifiant si mon histoire l'intéressait. Ma mère était fine avec Alexis, pis Jo et Jérémie ont pas fait les cons. Mais mon père a été à la hauteur de sa réputation.

— Il vous a demandé d'arrêter de parler en plein milieu du souper pour regarder le hockey ?

Sa question était accompagnée d'une pointe d'ironie qui adoucissait ses traits. J'ai répondu en rigolant.

— Même pas ! Il a juste reproché à Alexis d'être lui-même…

— C'est-à-dire… épuisant de perfection ? répliqua Émile avec un ton de reproche qui m'a décontenancée.

Les papillons qui virevoltaient dans ma cage thoracique depuis hier ont suspendu leur vol, craignant soudainement qu'Émile, l'être que j'aimais et que j'estimais le plus sur Terre, n'apprécie pas mon copain. Cette perspective m'affolait.

— Je pensais que tu l'aimais…

Il a roulé les yeux.

— Je l'haïs pas, dit-il avec un sourire narquois. Il est juste tout ce que je suis pas.

Je ne pouvais imaginer que deux garçons qui me faisaient tant de bien puissent ne pas s'entendre.

— Comment ça ?

La barrière imaginaire qui nous séparait s'est alors épaissie.

— C'est pas important, Lilie…

Imprudente, j'ai mis le pied sur une mine.

— Excuse-moi, dis-je, mais quand mon meilleur ami parle contre mon copain, je trouve ça important !

Il m'a observée dix secondes, le temps de calmer le bouillonnement qui faisait valser ses humeurs.

— T'es vraiment fatigante avec tes questions…

Il semblait réellement choqué par ma volonté de comprendre.

— Je m'en fous ! ripostai-je. Je veux savoir.

Un soupir a précédé sa réponse.

— Il me semble que c'est évident ! C'est un gars super en forme que tout le monde aime. Il trouve toujours quoi faire et quoi dire, tout le temps. Pis moi, je suis fait sur un *frame* de poulet, je suis nul en sports, le tiers de l'école me déteste, pis…

Il avait l'air épuisé par ce qu'il venait d'expulser, comme si ses paroles lui faisaient mal.

— Pis, il est avec toi…, ajouta-t-il.

Nos yeux se fixaient sans que nos bouches trouvent quoi dire. Je ne savais plus quoi penser. Mon meilleur ami venait-il de m'exprimer un élan de jalousie ? Mes instincts, que je croyais infaillibles, m'avaient-ils trompée sur ses préférences ? Si j'avais tort, pourquoi Marc-Olivier m'aurait-il informée qu'Émile était gai ?

Lilie, sors de ta tête. Émile a besoin de toi. Regarde dans quel état il est…

Quelque chose en lui s'était brisé. Sa respiration, hachurée, donnait l'impression qu'il ignorait si sa révélation allait le perdre, tel un équilibriste craignant d'avoir fait un faux mouvement.

— Je comprends pas ce que t'es en train de me dire, Mile…

Un lourd silence s'est immiscé entre nous.

— T'es pas en amour avec moi… hein ? demandai-je.

Il a hoché la tête de gauche à droite. Sa réponse lui tordait le cœur. Au même moment, j'ai cru comprendre ce qui se passait dans sa tête, mais je préférais le laisser venir à moi.

— J'ai longtemps pensé qu'on finirait ensemble, dit-il avec une voix pleine de résignation. Tu me connais plus que n'importe qui. Tu m'endures même quand, moi, je me trouve insupportable. T'es clairement une des plus belles filles de la ville… avec Clara. Pis je peux même pas imaginer ne pas t'avoir dans ma vie. J'veux dire, tu pourrais faire n'importe quoi, pis je resterais là quand même. Quand je pense à tous tes défauts, j'arrive même pas à m'énerver. C'est comme si j'avais accepté y a mille ans que ça faisait partie de toi, pis que si je voulais te garder dans ma vie, il fallait que j'accepte tout ce que t'es. Inconditionnellement. Mais…

Profondément remuée, j'aurais aimé trouver les plus beaux mots pour décrire l'affection que j'avais pour lui. Toutefois, quelque chose me suggérait d'attendre. Émile évitait à nouveau de me regarder, préférant jouer avec les céréales qui flottaient devant lui. Sans préambule, il a tourné ses grands yeux tristes vers moi.

— Lilie…, formula-t-il avec précaution. Tu sais que je joue pas dans la même équipe que toi, hein ?

Voilà. C'était dit. Officiellement. À sa façon.

Je ne pouvais plus douter de son intérêt à mon égard ni de ses préférences. Ma seule option était de lui répondre avec des paroles pleines de moelleux pour le cœur.

— Ben oui, Mile… Ça fait longtemps que j'ai remarqué que tu t'intéressais pas à mes décolletés. Pis j'ai autre chose à faire que d'essayer de te faire virer de bord. Je t'aime comme t'es, point final.

Cet amalgame de légèreté, d'ironie et de franchise résumerait mon attitude à son égard pour le reste de nos vies : je ne le laisserais jamais sortir de ma vie.

— Ça m'a rendu triste, le jour où j'ai compris ça…, dit-il.

— Que t'es… gai ?

Le mot, prononcé à voix haute, l'a fait tressaillir.

— Non… que je pourrais jamais être en couple avec toi. On aurait tellement fait des beaux bébés !

La façon avec laquelle il avait décoché sa dernière phrase, pimpante et percutante, me rassurait sur la suite des choses. Un pas à la fois, il trouverait comment vivre avec sa différence.

— Tout le monde aurait été jaloux ! répliquai-je.

— Comme moi avec Alexis…

Je ne pouvais pas le laisser se diminuer.

— Hey ! m'exclamai-je. T'as rien à lui envier. Avec les yeux que t'as, tu pourrais transformer tous les hétéros de la planète en homosexuels !

— Ouin, dit-il à moitié convaincu.

Quelques secondes plus tard, la porte du sous-sol s'est ouverte, et son père est apparu dans la cuisine. Le visage d'Émile s'est transformé, et j'ai tout de suite compris que je devais protéger ses confidences.

— Combien je te dois ? demanda Paul à mon attention.

— Pour quoi ?

— Pour avoir mis un sourire sur le visage de mon beau garçon, dit-il avec un ton plein de sarcasmes. Ça doit ben valoir cent piastres !

— Je fais ça gratis depuis dix ans ! dis-je avec un ton enjoué pour empêcher toute réplique acerbe de mon meilleur ami. Pis, de toute façon, tu me paies déjà pour ton projet.

Témoin de notre échange complice, Émile a joué les trouble-fêtes en me donnant un conseil.

— Tu t'arrangeras pour pas oublier ta bonne humeur chez vous. Faudrait pas que monsieur-je-suis-toujours-dans-ma-bulle-et-j'ai-l'air-tourmenté-la-moitié-du-temps te reproche une déprime passagère…

Sa flèche m'a étonnée encore plus que notre discussion. Jamais je n'avais vu ces deux-là se chicaner. Paul a respiré en continuant son chemin en silence, alors que, visiblement, tout son être voulait répliquer. Impuissante, j'espérais de tout mon cœur que le secret d'Émile n'empoisonne pas leur relation…

: :

J'y suis retournée dès que j'ai pu. Le temps de faire acte de présence à l'école, de souper chez moi, d'entendre mon père suggérer une soirée cinéma comme nous n'en faisions jamais et de percevoir une attente chez lui, comme s'il avait réalisé que les dernières semaines, voire les derniers mois, avaient accru la distance entre ses fils, sa fille et lui-même. Pendant un instant, je me suis surprise à remettre en question la nécessité d'aller chez les voisins le plus rapidement possible, afin d'empêcher les fissures dans la relation des garçons Leclair. Je m'étais toujours sentie plus à ma place chez eux qu'auprès de mes parents et de mes frères. Cependant, une petite voix m'informait que je ne pourrais pas reprocher à mon père d'être un parent de deuxième catégorie si je ne reconnaissais pas les efforts qu'il fournissait pour s'améliorer.

— À quelle heure tu pensais faire ça? demandai-je sans révéler mon jeu.

— Bah, après le hockey, vers dix heures, répondit-il. Je me suis dit qu'on pouvait veiller un peu, avec le congé qui commence.

Il m'a alors donné la permission de déserter la maisonnée sans ruiner ses efforts. À mon arrivée chez les voisins, Maude a souligné que nos hommes boudaient chacun de leur côté: Émile lisait dans sa chambre et son père travaillait dans sa chambre noire. Instinctivement, j'ai choisi de me rendre d'abord au sous-sol. Après avoir cogné doucement, j'ai découvert les contours du visage de Paul, assis dans la pénombre. Comme j'aurais fait pour apprivoiser un animal sauvage, je me suis approchée sans faire un bruit et j'ai pris place à ses côtés, jusqu'à ce que je sente la permission silencieuse de poser ma tête sur son épaule. Au bout de quelques minutes, j'ai brisé le silence.

— Êtes-vous en chicane?

Ma question l'a détendu, comme si le fait de ne pas être seul à porter son fardeau en allégeait le poids.

— Je sais pas ce qu'il a..., marmonna-t-il.

— Qu'est-ce que tu veux dire?

— Depuis un an, on dirait qu'il me laisse plus entrer dans son monde comme avant. J'ai toujours pensé que je pouvais prédire tous ses gestes, qu'on était presque identiques. Là, il y a quelque chose qui m'échappe…

Je faisais un effort olympique pour ne pas démontrer que je possédais la pièce manquante de son casse-tête.

— Ça te dérange qu'il soit plus dans son monde qu'avant ?

— Je sais pas… Je devrais pas. Je suis aussi pire que lui, sinon plus. On dirait qu'il a plus autant besoin de moi…

Le trouble de sa voix me remuait. J'aurais voulu le rassurer, lui dire qu'il n'y était pour rien et qu'Émile se refermait parce qu'il imaginait que personne ne comprenait sa situation. Par contre, j'étais persuadée que mon meilleur ami n'avait pas intérêt à se priver de sa relation avec son père.

— Je suis sûre que c'est pas vrai, rétorquai-je. Il a peut-être juste besoin de s'isoler un peu, pour savoir qui il est, sans toujours t'imiter.

Malgré la noirceur, j'ai vu sa tête se tourner dans ma direction.

— C'est pratique d'avoir quelqu'un de l'extérieur qui nous analyse sans qu'on le sache…

J'ai souri en silence. Il m'a proposé de travailler à son projet. J'ai passé deux heures à regarder des photos qu'il avait prises au début des années quatre-vingt-dix, quand Émile était petit, avant que je les connaisse. J'avais sous les yeux les premières années de mon meilleur ami, avec ses grands yeux bleus qui voulaient emmagasiner toutes les beautés de l'univers, son sourire coquin et ce petit air indéfinissable, présage du monde imaginaire qui allait grandir en lui d'année en année. Même si j'étais payée pour économiser du temps à Paul, je n'ai pas pu m'empêcher de lui demander des détails sur certaines photos. Ce retour dans le passé l'a ému sur le coup.

— C'est comme si…, prononça-t-il en cherchant son souffle, c'est comme si je revoyais ce que j'aime le plus de mon p'tit gars, alors que j'y ai de moins en moins accès.

Je n'avais jamais vu Paul dans un tel état. Je débordais d'empathie pour ce qu'il vivait, mais je ne savais plus quels mots choisir pour le réconforter. Je l'ai serré dans mes bras, avant de monter au rez-de-chaussée pour suggérer à Maude de retrouver son mari.

Une minute plus tard, j'ai cogné à la porte de mon ami et je lui ai enlevé un livre des mains.

— Là, faut qu'on se parle ! dis-je.

Il me regardait, l'air amusé.

— Ça fait mille ans que j'attends, moi…

— Quand est-ce que tu vas parler à tes parents ? Ton père est tout à l'envers…

Émile a perdu son sourire.

— Il va peut-être comprendre comment on se sent quand il se coupe de tout…

Son amertume me laissait entendre qu'il y avait plus en jeu que je ne le croyais : son homosexualité n'était pas au cœur de toutes ses réflexions.

— Tu te venges parce qu'il t'écrit pas assez souvent quand il part en voyage ?

— Ça, pis toutes les fois où il disparaît sans donner signe de vie, comme si personne avait besoin de lui.

Triste ironie : Paul se morfondait parce qu'il se sentait de moins en moins nécessaire à l'existence de son fils…

— C'est clairement pas en lui faisant subir ce qu'il fait que tu vas être entendu, dis-je.

— Il est tellement borné ! Je vois pas quelle autre…

Je l'ai coupé sans me gêner.

— Émile, fais pas l'enfant ! C'est moi qui ai des parents nuls. Toi, t'es le plus gros bébé gâté de l'histoire. T'as pas le droit de le rejeter comme ça !

Il semblait étonné par l'intensité de ma réplique.

— Je le rejette pas, répliqua-t-il en baissant les yeux. Je suis juste pas capable de lui parler de ce qui se passe…

Je sentais un monde d'inquiétudes vibrer en lui.

— T'as peur de sa réaction ?

— Un peu… Imagine qu'il soit déçu… que… que je lui fasse honte.

Essayait-il de repousser son père avant même que celui-ci le fasse en découvrant son orientation sexuelle ?

— Voyons ! Jamais ton père réagirait de même. Votre relation est la chose la plus importante au monde pour lui !

Émile a pincé les lèvres, tentant de retenir un sanglot. Je l'ai enlacé sur-le-champ.

— Tu peux pas continuer d'imaginer des scénarios catastrophes. Ton père a rien à voir avec les arriérés qui mettent leurs enfants dehors parce qu'ils sont gais!

— Je sais... Mais je pourrais pas vivre dans sa maison en sachant qu'il me regarde autrement, comme s'il me tolérait par défaut.

Comme moi avec mes parents...

Pour la première fois, Émile me donnait des détails sur ce qu'il vivait: l'étrange sentiment de ne pas pouvoir en discuter avec ses parents (de qui il avait toujours été si proche), les insultes encaissées quotidiennement, le malaise ressenti dans les vestiaires, lorsqu'il redoutait que certains gars vérifient s'il les zieutait, alors qu'il était déchiré entre l'envie de les regarder et la crainte monumentale d'être attaqué, calomnié, rejeté. Par-dessus tout, mon meilleur ami craignait de rester célibataire pour une éternité.

— J'en connais pas un mautadit en ville! s'exclama-t-il. Imagine si je rencontre personne jusqu'à la fin de ma technique au cégep. Je vais avoir presque vingt ans!

Il a fait abstraction de mon collègue Marc-Olivier, probablement pour respecter sa discrétion et renforcer l'ampleur du drame qu'il entrevoyait. Je réalisais à peine ce que pouvait signifier d'être en marge de la société. Je souhaitais presque qu'il quitte la région pour Québec ou Montréal après le secondaire, afin qu'il vive ses premières expériences amoureuses plus rapidement.

Nous nous sommes étendus côte à côte pendant un quart d'heure, jusqu'à ce que je regarde l'heure: 21 h 55.

Merde!

Je me suis habillée en vitesse. J'ai dévalé l'escalier en frôlant la mort trois fois, ouvert la porte de ma maison une minute avant vingt-deux heures et tâché d'ignorer le visage sévère de mon père.

— On pensait que tu viendras pas! lâcha-t-il.

— Ben non! Qu'est-ce qu'on regarde?

Faire diversion, toujours une brillante stratégie.

— *King Kong!* répondirent en chœur Jérémie et Jonathan.

— On a aussi loué *Le monde de Narnia,* compléta ma mère.

S'il y avait une chose sur laquelle les Jutras s'entendaient, c'était leur amour des films fantastiques. Avec un sourire sincère, j'ai approuvé leurs choix du regard, avant d'apercevoir, au milieu des cochonneries déballées sur la table du salon, mes sucreries préférées: des bananes à la guimauve, que j'étais la seule à manger.

Pour une rare fois, l'atmosphère me semblait plus enveloppante chez les Jutras que chez les Leclair…

10

— Lilie, ton petit chum est là !

Le naturel avec lequel ma mère désignait Alexis me laissait croire qu'elle approuvait notre relation. J'aurais pu sourire béatement dans mon lit avant de me précipiter vers l'entrée, mais j'étais beaucoup trop occupée à entrouvrir la porte de ma chambre pour la regarder avec des gros yeux.

— Il a appelé y a quinze minutes, ajouta-t-elle en me voyant. Je lui ai dit que tu dormais pas...

Il n'était pas encore huit heures, un samedi de semaine de relâche.

— Pis, t'as pas pensé m'avertir pour que je m'arrange ?

Il était hors de question qu'il voie mes cheveux ébouriffés, mon short évasé et mon vieux t-shirt des Spice Girls. En deux temps, trois mouvements, j'ai enfilé pantalon et camisole, imploré ma tignasse de me laisser réussir un chignon magnifiquement désinvolte et couru me rincer la bouche avec un antibactérien.

Mon père était au garage, ma mère dans la cuisine, mes frères dans leurs lits: j'avais le champ libre pour bécoter Alexis jusqu'à ce qu'il ne veuille plus partir.

Go!

Je l'ai salué avec un grand sourire. Il a fait une blague à propos de la saveur de menthe sur mes lèvres. J'ai ronchonné, pour la forme, en récoltant quelques extraits de vanille polaire dans son cou. Il a ramené mon menton vers le sien pour m'embrasser vingt fois supplémentaires. Comme s'il faisait des provisions. Comme s'il partait pour le bout du monde sans savoir quand il reviendrait. Comme si c'était la dernière fois...

Ne pense pas à des choses comme ça!

En cherchant une source de réconfort au fond de ses yeux, j'ai senti un tumulte que je n'arrivais pas à expliquer. Les battements de mon cœur ont accéléré. Quelques mots ont été formulés. Ma respiration s'est coupée. Je me suis sentie terriblement mal. Autant sinon plus que le jour où les juges de la compétition musicale avaient nommé les trois gagnants. Le sentiment qui m'envahissait était le même, dévastateur.

Je suis inadéquate...

: :

Je ne pouvais pas perdre pied comme après Vancouver. Je devais garder le cap. Éviter de tout analyser. Me changer les idées.

Opération « Lilie s'étourdit » : enclenchée.

J'ai eu le réflexe de replonger dans le monde apaisant de J. K. Rowling : malgré la noirceur qui enveloppait le monde des sorciers, les aventures d'Harry Potter avaient depuis des années le pouvoir de me calmer. Au-delà d'un univers à découvrir, du combat fascinant contre les forces du mal et de mon envie d'être l'une des leurs, quelque chose dans cette saga me souriait plus que tout le reste : la complicité entre Ron, Hermione et Harry, leurs périodes d'études, leurs idioties, tout ce temps perdu à ne pas sauver le monde, cet entre-deux durant lequel on les voyait à l'état brut, adolescents, idiots et complices. En six jours, j'ai relu les trois premiers tomes de façon compulsive, comme si les milliers de mots défilant sous mes yeux formaient une barricade entre mon esprit et celui-dont-il-ne-faut-pas-prononcer-le-nom.

Heureusement pour ma santé mentale, la vie s'est chargée de remplir mon horaire de plusieurs distractions : en plus de lire, de travailler à la fruiterie, de m'empiffrer de bonbons avec Émile et de divertir Jérémie en alternant les séances de football dans la neige, la construction d'un fort derrière la maison et une compétition de sauts périlleux du haut de la galerie, jusqu'à ce que ma mère sorte en hurlant que nous allions nous briser le cou, je travaillais avec Paul dans sa chambre noire. Malgré mon amour et ma loyauté pour son fils, mes instincts me poussaient souvent vers lui : le fait d'être en présence l'un de l'autre nous faisait du bien. Alors que je survolais ses photos, je glissais un mot ici et là, juste assez pour comprendre que son conflit avec Émile s'était adouci depuis le début du congé.

— Hier, dit Paul, on a passé la soirée tous les trois au salon. Maude brodait, Émile lisait, et moi je les regardais en priant pour qu'on ne bouge plus jamais. Ça faisait longtemps que j'avais pas vu mon gars relaxer comme ça…

Un rictus de tendresse est apparu sur mon visage. Paul ne comprenait pas tout ce qui se passait, mais il était suffisamment sensible – et intéressé – pour percevoir les variations dans l'humeur de son fils. J'étais certaine que l'attitude de mon ami avait changé grâce à la relâche : pas d'école, pas de bourreaux, pas d'injures, il était plus heureux, plus ouvert et plus facile à approcher.

— J'ai vu que tu traînais les vieux *Harry Potter* dans ton sac, remarqua Paul. T'as jamais pensé lire les romans du *Seigneur des anneaux* ? J'ai les trois tomes au salon, si tu veux. La description est souvent très lourde, mais l'histoire est incroyable. Je suis sûr que tu vas aimer ça autant que les films !

Comment résister à un nouveau moyen de me changer les idées ?

: :

Très tôt, en ce dernier jour du congé, j'ai dédié mon attention au monde de Tolkien. Malgré le caractère rébarbatif du début, je n'ai pas pu résister aux idioties de Merry et Pippin, à la formation de la Communauté de l'anneau et aux premières attaques des orques, que j'imaginais facilement grâce aux adaptations cinématographiques. J'ai mis la trame sonore du premier film pour me plonger dans l'ambiance, en me laissant bercer par les airs grandiloquents et délicats de cette histoire. Lorsque j'ai lu la scène pendant laquelle Frodon quitte la Communauté pour se charger seul de l'anneau et que Sam tente de rattraper son bateau, même s'il ne sait pas nager, j'ai senti quelque chose se disloquer en moi.

« J'ai fait une promesse, monsieur Frodon. Une promesse : ne le quitte jamais, Sam Gamegie. Je vous quitterai pas. »

À cet instant précis, toutes les stratégies que j'avais mises en place pour taire mes émotions ont éclaté.

: :

Je plaçais les fruits sur les étalages en me retenant de ne pas les lancer sur le mur. Je fuyais la bonne humeur de mon patron. Je laissais Marc-Olivier s'occuper de tous les clients, pour éviter une crise de larmes devant des étrangers. Quand il a vu que je ne me gérais plus, il a avisé son oncle que nous prenions une pause et m'a entraînée dehors, sans égard pour le vent d'hiver qui fouettait nos joues.

— Qu'est-ce qui se passe, Lilie ?

— Je suis la pire blonde de la planète…

Sceptique, il attendait la suite.

— Alexis est venu me voir avant de partir en Alberta.

Marco a tout de suite sauté aux conclusions.

— Il t'a pas laissée, j'espère ?

— Non, non ! Mais, il devrait…

— OK… Explique-moi ce qui se passe, parce que je te suis pas pantoute !

J'ai pris un moment pour rassembler mon courage.

— Il m'a dit « je t'aime »...

— Ben là !

— J'ai pas été capable de l'imiter...

— Oh..., lâcha Marc-Olivier. T'avais pas envie, tu savais pas comment ou t'étais pas prête ?

Sa dernière hypothèse a eu l'effet d'un coup en pleine gueule. Avais-je le droit de partager mes sentiments longtemps après Alexis ? Le sentiment amoureux ne devait-il pas être une évidence ?

— Je sais pas..., répondis-je. J'veux dire, quand je le vois, j'ai l'impression que mon cœur veut sortir de ma poitrine ! Je peux pas m'imaginer avec un autre gars que lui. Mais, quand il m'a dit ça, j'ai figé...

Huit jours plus tôt, Alexis avait souri en regardant vers la mer une fraction de seconde, avant de se lancer.

— Lilie, il faut que je te dise quelque chose. L'été dernier, quand j'ai su que mes parents déménageaient ici, j'étais vraiment en colère. J'adore la Gaspésie, mais je pouvais pas imaginer manquer la fin du secondaire avec mes amis. Puis, finalement, je t'ai vue... Avant même de te parler, je savais que t'étais différente. Je peux pas expliquer pourquoi, mais il fallait que je te connaisse ! Même si tu m'as reviré de bord au début. J'ai décidé d'attendre que tu m'ouvres une porte. Et depuis qu'on s'est embrassés, je profite de chaque minute en essayant de pas penser que tu pourrais te tanner un jour...

parce que, moi, je suis vraiment pas parti pour ça ! Je pense que je… je t'aime…

Ce que j'espérais depuis si longtemps se produisait enfin : pour la première fois, on me confirmait que j'étais un peu spéciale. Juste assez pour attirer l'attention d'Alexis et lui donner envie d'être avec moi. Cependant, je n'avais pas prévu que cette confirmation viendrait avec une déclaration aussi franche.

— Quand il m'a déballé tout ça, dis-je à Marc-Olivier, j'avais l'impression qu'il avait des mois d'avance sur moi.

— Tu m'as pas déjà raconté qu'il avait eu deux, trois blondes à Québec ?

J'ai hoché de la tête.

— Il doit comparer avec ce qu'il a vécu avant, reprit mon collègue. C'est facile de sentir que t'es à la bonne place quand t'as déjà vécu l'inverse.

Pas bête.

— Pourtant, je sais à quel point je suis bien avec lui. Mais, c'est comme si j'avais besoin de temps pour que ça grandisse et que ça devienne un « je t'aime ».

— Y a rien de mal à ça. Si t'as besoin de quelques semaines pour avoir envie de lui dire, prends-les.

— Et s'il veut plus rien savoir de moi ?

— Ça m'étonnerait qu'il abandonne pour ça…

— T'es fin…

De retour dans la fruiterie, j'ai réalisé que j'avais généralement ce type de discussions avec Émile. Pourtant, je n'aurais pas remplacé l'écoute et les paroles de mon collègue pour celles de mon ami. La maturité de Marco me faisait du bien, mais il y avait plus : je ne pouvais pas me plaindre à Émile de ce qui m'arrivait. Du moins, pas maintenant. Il me semblait encore si loin de goûter aux joies et aux peines de la vie en couple.

— Hey, arrête de faire la gueule! lança Marc-Olivier derrière la caisse.

Un instant plus tard, il a monté le son de la radio et effectué quelques pas de danse. Plus je le regardais aller, plus je réalisais à quel point je devais m'inspirer de lui en insufflant un peu de légèreté à mes journées.

Il me semble que ça fait longtemps que je n'ai pas préparé un tour à Émile...

: :

Je ne remercierai jamais assez mon grand frère de m'avoir un jour convaincue de regarder le – très mauvais – film *Denis, la petite peste.* Nous y avions découvert une quantité folle de mauvais tours à jouer à nos parents pour les punir d'être eux-mêmes. La réaction de mon père lorsque nous avions remplacé le savon à mains de la salle de bain par du lubrifiant à moteur était à ce jour l'un de mes plus beaux souvenirs à vie. Depuis, il inspectait chaque contenant de savon, de crème à raser, de rince-bouche et de dentifrice avant de les utiliser.

C'est peut-être pour ça qu'il a toujours l'air bête, dans le fond... Oups !

Après mon quart de travail, j'ai visité l'épicerie pour trouver de l'inspiration. Rapidement, j'ai prévu déjouer mon meilleur ami avec sa plus grande faiblesse : sa gourmandise. J'ai acheté un paquet d'Oreo, séparé les deux morceaux d'une rangée entière, retiré le glaçage (que j'ai bien sûr mangé), étendu du dentifrice sur les biscuits et refermé le tout, en recollant le paquet pour éviter les soupçons. Imaginant le dégoût de mon ami avec délectation, j'ai ensuite préparé du faux jus d'orange – un mélange d'eau et de poudre à macaroni – que je laisserais traîner innocemment sur la table pour qu'il se désaltère. Et, prévoyant qu'il se méfierait de chacun de mes gestes à ce stade de la soirée, la suite nécessitait un élément de surprise : la complicité de ma mère.

À la maison, je lui ai expliqué mon plan en la suppliant de ne pas protéger mon ami, lui qui ne s'était pas gêné, l'été dernier, pour voler une partie des récoltes de son jardin en mettant ça sur la faute des ratons laveurs.

Machiavélique, je sais.

En voyant ses yeux se poser sur mon arsenal avec un amusement à peine perceptible, j'ai compris que j'avais trouvé une alliée. Je visualisais la troisième étape de mon plan en me retenant pour ne pas rire à gorge déployée : les papilles affolées par ce qu'il aurait ingurgité, Émile se précipiterait vers un lavabo pour recracher tout ce qu'il avait de salive et se rincer la bouche. C'est alors que ma mère lui remettrait un linge – barbouillé de vaseline – pour essuyer son visage.

Lilie, c'est confirmé, tu es un génie!

Deux heures après avoir invité Émile à une séance de cinéma maison, je l'ai vu arriver en dissimulant difficilement mon excitation. Il a suggéré que nous regardions *Mulan,* l'un de nos films de Disney préférés. Après trente minutes, il n'avait toujours pas touché aux Oreo sur la table du salon. Puis, il a étiré le bras… vers son sac à dos.

— Je t'ai apporté une surprise! dit-il avec enthousiasme.

Aux côtés du jus et des biscuits, il a déposé une boîte de beignes de chez Régine. Comme j'espérais qu'il m'imite en mangeant la surprise que je lui avais préparée, j'ai pris une généreuse bouchée de beigne à la crème.

— Arrkkkkkkkkkkkkkkkkkkeeeeee! criai-je la bouche pleine.

— Qu'est-ce qui se passe? demanda Émile, avec un sourire satisfait.

Il avait remplacé la crème par de la mayonnaise!

— C'est dégueulasse! dis-je en recrachant ma bouchée.

— Voyons, Lilie! gronda ma mère. Je t'ai pas élevée de même. Prends un peu de jus, ça va t'aider…

Je l'ai regardée, j'ai regardé Émile… et j'ai compris: mon voisin était au courant de tout!

— Pourquoi tu lui as dit?

— Quand tu m'as sorti l'histoire de légumes volés, rétorqua ma mère, je savais que tu mentais. L'an dernier, je suis allée voir Maude pour vérifier si elle avait des problèmes de rôdeurs. Elle m'a répondu que les seuls qu'elle avait vus récemment s'appelaient Émile… et Lilie !

Je ne pouvais pas croire que la *mamma* nous avait vendus à l'ennemi !

— Il est aussi coupable que moi !

— Je sais, dit ma mère, mais mon beau Émile ne mettrait jamais la faute sur toi, lui !

— Depuis quand c'est « ton beau Émile » ?

Mon ami me regardait avec sa petite face espiègle.

— C'est elle qui m'a donné l'idée des faux beignes, précisa-t-il.

— Quoiiiiii ?

Ma mère faisait de l'humour. Elle s'était liguée avec mon meilleur ami. Et mes plans avaient été déjoués.

C'est clairement le début de la fin du monde !

: :

Tout compte fait, l'apocalypse ressemblait davantage à une école secondaire, des casiers et une horloge qui n'en finissait plus d'être lente. Au terme de cette journée de retour en classe, mon attention était rivée sur la porte du gymnase d'où émergerait Alexis vers dix-sept heures. En théorie, il revenait de Calgary vers minuit la veille et il reprenait les cours aujourd'hui.

Et l'entraînement. Il est censé retrouver les tatamis, prendre sa douche, sortir quelques minutes après que la grande aiguille aura franchi le zéro, venir me voir, sentir bon et faire trembler mes rotules.

Une fois encore, mon plan a échoué. Alexis n'est jamais sorti des vestiaires. Peut-être voulait-il éviter la-fille-incapable-de-dire-je-t'aime ?

Hey, il a peut-être juste pris congé de judo après sa compétition… Calme-toi le mélodrame !

Plutôt que de laisser mon esprit s'enflammer, je suis allée chercher des réponses à la source. Quelques minutes plus tard, j'ai aperçu le visage d'Élisabeth, la sœur d'Alexis, derrière la porte d'entrée de leur maison. Sans dire un mot, elle m'a ouvert et s'est dirigée vers le sous-sol. Son grand frère m'a rejointe en montant les escaliers deux par deux.

— Allô toi.

Heureux de me revoir, il semblait tout de même en mode retenue.

— Salut beau garçon. Je me suis ennuyée…

Il a eu l'air soulagé.

— Imagine moi ! J'ai envisagé de prendre ma retraite du judo pour te revoir plus vite !

Avant que je puisse réagir, on nous a interrompus.

— Est-ce que c'est Lilie ?

La voix que j'avais entendue le soir de la Saint-Valentin résonnait dans la pièce d'à côté. Une seconde plus tard, la mère d'Alexis est apparue dans notre champ de vision.

— Bonjour madame Séguin.

— Appelle-moi Anne-Sophia, s'il te plaît. Élisabeth, viens me voir, ma chérie, on va souper.

La cadette s'est dirigée directement vers la cuisine, sans nous regarder.

— Tu manges avec nous, ajouta Anne-Sophia. On va célébrer ensemble !

J'ai regardé Alexis pour comprendre.

— J'ai fini troisième dans ma catégorie, précisa-t-il humblement.

— C'est sa meilleure performance à vie ! lança son père, en nous rejoignant.

Sa fierté était indéniable.

— On vient de regarder ça sur l'écran géant, au sous-sol, dit Marc.

Le simple fait d'imaginer le quatuor regarder les combats d'Alexis m'emplissait de jalousie. Jamais mes parents n'auraient fait une chose pareille quand je participais à des concours de musique.

— As-tu des allergies ou des trucs que tu détestes, Lilie ? enchaîna Anne-Sophia. Je suis de garde ce soir, mais j'aimerais ça t'éviter un choc anaphylactique.

Son humour agrémenté de gentillesse m'a fait douter de ce qu'Alexis m'avait raconté. Je ne remettais pas en question les difficultés qu'il avait traversées durant son enfance, mais ses parents faisaient aujourd'hui preuve de considération.

— Tout va bien ! répondis-je. Faites rien de spécial pour moi.

Mine de rien, je vivais ma première rencontre avec des beaux-parents. Malgré ma fébrilité, j'appréciais le caractère impromptu de la situation : je n'avais pas eu des jours pour angoisser. Après avoir averti mes parents, j'ai pris place à table, en voyant qu'Anne-Sophia préparait un plat différent pour Élisabeth et qu'Alexis participait à une routine élaborée pour sa sœur, avec un côté protecteur attendrissant. Normand a sorti une mini-bouteille de champagne pour trinquer à la médaille de bronze de son fils. Plus je les observais, plus j'avais l'impression que mon judoka préféré souriait davantage de l'extérieur que de l'intérieur, comme s'il se forçait. Je pensais l'analyser en retrait, mais ses parents m'ont posé des tas de questions sur ma famille, mes études et mes rêves.

— Tu veux devenir musicienne professionnelle, si je me souviens bien ?

La question de Normand a fait bondir Alexis.

— Non, papa ! Je t'ai dit plein de fois qu'elle avait arrêté. Tu m'écoutes jamais !

Je trouvais mon copain un peu réactif. Son père avait seulement été maladroit.

— Excuse-nous, dit sa mère. C'est la première fois qu'Alexis nous présente une amoureuse. On est un peu énervés.

— La deuxième, corrigea Alexis sur-le-champ. Vous avez vu Julie-Anne au moins cinq fois à Québec.

— Ben oui, c'est vrai !

Je ne savais pas ce qui me mettait le plus mal à l'aise : le rappel que mon copain avait un passé amoureux ou la fermeture qui s'amplifiait en lui. Afin d'alléger la discussion, j'ai demandé à ses parents comment ils s'étaient rencontrés et ce qu'ils pensaient de leur nouvelle ville.

— On adore ça ! s'exclama Normand.

— Le rythme de vie en région nous fait tellement de bien, renchérit Anne-Sophia. Même s'il y a moins de services.

Ils m'ont ensuite résumé les ressources dont ils disposaient à Québec pour encadrer Éli, avant de déplorer leur quasi-inexistence à Matane. Pendant qu'ils discutaient, j'ai réalisé qu'Alexis regardait dans le vide. Les explications se sont longuement poursuivies, jusqu'à ce que Normand et Anne-Sophia s'éclipsent avec leur fille, afin de poursuivre la routine de soirée, sans égard pour Alexis et moi, qui n'avions pas terminé de manger.

— Ils reviendront pas, lâcha Alexis d'un ton monocorde.

— Je commence à comprendre ce que tu voulais dire, l'autre jour.

— Je suis rendu habitué...

Ne sachant pas comment réagir, j'ai eu le réflexe de changer de sujet.

— Alexis, je voulais te dire...

Il a tout de suite su dans quelle zone je me dirigeais.

— Ça va… t'inquiète pas avec ça.

— Écoute-moi, ajoutai-je avec fermeté. J'ai pas réagi de la bonne façon avant que tu partes. Tu m'as surprise.

— T'as pas besoin de te justifier, Lilie. Si tu le sens pas, je voudrais…

— Arrête, laisse-moi parler.

Sa volonté de contourner le malaise m'empêchait d'avancer.

— Je suis pas habituée de me faire dire de beaux mots comme ça, précisai-je. Pis, je pense que ça me prend plus de temps que toi pour m'ouvrir… Je… tsé, j'veux pas que tu changes quoi que ce soit. Je suis vraiment attachée à toi, à nous deux. Mais je… je… suis pas encore prête à dire… ça.

Malgré son absence foudroyante de poésie, le message me semblait clair.

— Alors, t'es pas avec moi en attendant de trouver mieux ? répliqua-t-il mi-blagueur, mi-inquiet.

— Ben non ! Y a aucune chance que je rencontre un gars comme toi dans le coin.

— Une chance qu'on vit pas à…

J'ai mis une main sur sa bouche.

— Dis pas ça, chuchotai-je comme s'il s'apprêtait à jeter un mauvais sort. J'ai juste besoin d'un peu de temps.

— J'ai compris.

— En attendant, il me semble qu'on devrait mieux occuper notre soirée.

Nos lèvres se sont dit « bonjour », la chaleur de sa peau m'a donné un frisson et les rythmes de mon cœur ont retrouvé l'équilibre.

: :

Il manquait officiellement un morceau à mon cerveau. Une sorte de rempart qui m'empêcherait de tomber dans une crevasse de questions sans réponse.

Pourquoi Alexis identifiait-il si clairement son sentiment amoureux ? Les garçons n'avaient-ils pas la réputation d'être moins proches de leurs émotions ?

Sérieusement, tu crois ça ?

Depuis quand te fis-tu aux stéréotypes pour comprendre ce qui t'arrive ? Ne devrais-tu pas plutôt décortiquer ton esprit pour expliquer ta lenteur à t'ouvrir ? N'es-tu pas un peu jeune pour affirmer que tu as peur d'être blessée ?

T'as peut-être jamais eu d'amoureux avant Alexis, mais ça veut pas dire que t'as pas vécu !

Après toute une vie à me faire abîmer le cœur par mes parents, mon organe vital me semblait plus endommagé que ceux de la moyenne des jeunes de quinze ans…

Vraiment ? C'est encore de leur faute ? Les canyons qu'ont creusés Suzanne et Ghislain depuis ta naissance n'ont-ils pas été remplis par Émile, Paul, Maude, monsieur Forest et Alexis ?

Détournais-je encore mon attention du vrai problème ? Se pouvait-il plutôt que je ne sache pas comment faire et que j'aie peur du ravin qui se profilait à mes pieds ?

Ces questions tournaient dans ma tête à toute heure du jour et de la nuit, pendant que je travaillais, que j'étudiais et que j'écoutais à moitié Émile me raconter les derniers détails de son exposition.

— Tu m'écoutes paaaaas ! gémit-il au bout de plusieurs minutes de distraction.

— Je m'excuse…

Tel un disque dur saturé, mon espace mental débordait d'images, de réflexions et de doutes sur mon couple.

— T'es en train de redevenir poche comme quand tu faisais de la musique ! lança Émile.

OUCH !

Étais-je en train de redevenir aussi intense qu'à l'automne ? Mes parents me feraient-ils interner s'ils découvraient à quel point j'angoissais à propos de mon couple, après moins de trois mois ?

Bon, la spirale de questions qui recommence !

Je craignais d'être devenue ce que je reprochais aux M&M : une fille qui ne parle que de son chum et qui se définit par sa relation.

Mais non ! Tu vois encore Émile, tu niaises avec tes frères, tu t'es fait un nouvel ami à la fruiterie et tu passes plein de temps chez les Leclair. Tu n'es pas le genre qui réserve tout son temps à son chum et qui a besoin de lui pour avoir une personnalité...

D'accord, mais si Alexis s'entraînait moins et qu'il me consacrait plus de temps, est-ce que je deviendrais folle ?

Ça n'arrivera pas, alors chut.

Je craignais terriblement d'être le genre de fille qui s'efface derrière sa relation.

En même temps, y a-t-il tant de choses à effacer ?

Qu'avais-je à offrir à Alexis et au reste du monde ? Je n'avais plus de passion. Je ne pouvais quand même pas faire la conversation sur les techniques d'étalage à la fruiterie, mes travaux scolaires ou le secret de mon ami. En fait, peut-être que je réfléchissais (trop) à mon couple parce que le reste de mon existence était ennuyant.

Si tu te trouves plate, imagine à quel point ton copain va se désintéresser rapidement...

Tout ce temps, ma réelle inquiétude se résumait-elle à cela : la peur qu'Alexis se tanne de moi ? En étais-je encore là, après les paroles qu'il m'avait dites et la sincérité totale que je voyais dans ses yeux ?

Tu tournes en rond, fille. Dans deux minutes, ta tête va exploser.

Il fallait absolument que je détourne mon esprit vers quelque chose de simple et de confortable. De retour à la maison, j'ai tendu l'oreille pour m'assurer que le sous-sol était libre, avant d'y traîner ma doudou et un coffret DVD de *Dawson's Creek*. Épuisée par mes pensées, je me suis concentrée sur l'écran de télévision, sans prévoir que l'épisode me mettrait dans tous mes états. On y voyait Jennifer Lindley et Dawson Leery échanger sur les sentiments que le garçon n'osait pas avouer à sa meilleure amie, Joey Potter. Depuis le début de la série, j'avais l'impression d'être l'équivalent gaspésien de Joey: sa proximité avec un grand blondinet sensible, l'absence des parents dans sa vie (les siens étaient décédés; les miens, désespérants), son penchant pour la discrétion et même son look – des cheveux courts, bruns et faciles à gérer, de grands yeux qui révélaient plus que ses mots ne le feraient jamais et son allure un peu *tomboy*.

Tout ce temps, tu étais dans le champ...

Malgré ce qui m'unissait à la brunette, j'ai enfin compris ce qui s'approchait davantage de la réalité.

Tu ressembles tellement plus à Jen!

La blondinette avait un passé à des années-lumière du mien, avec ses excès d'alcool, de drogue et de sexe. Néanmoins, je faisais de plus en plus de liens avec elle: son indépendance, son monde intérieur foisonnant et sa personnalité légèrement en marge. Même si, pour l'instant, je n'assumais pas pleinement mon amour pour les vieux chanteurs français, mon attirance pour la musique excessivement noire et cette impression, difficile à verbaliser, qu'une autre Lilie se cachait à l'intérieur de moi. Comme si j'attendais un signe pour devenir pleinement la personne que je devais être. Au fond, Jen était en partie ce que je souhaitais devenir: une jeune femme à la fois introvertie et pleine de caractère, portée par un je-m'en-foutisme libérateur, nullement gênée par ses goûts, ses envies et sa nature profonde, ni freinée par ce que les autres pensaient. J'ignorais si un jour je me permettrais une telle attitude, mais quelque chose en moi y rêvait.

Vas-tu attendre de quitter la région pour te donner le droit d'être qui tu es ?

Ne pouvais-je pas plutôt l'assumer un morceau à la fois, dans une ville où je vivrais encore plusieurs années ? N'y avait-il donc aucun espace pour la vraie Lilie Jutras ?

Peut-être que tu devrais arrêter d'accumuler les points d'interrogation et passer à l'action…

: :

Un joli chaos régnait dans les couloirs de la polyvalente. Des élèves de cinquième secondaire avaient organisé un carnaval d'été en plein mois de mars, afin de financer leur bal des finissants : leçons de samba, barbecue, concours de la plus laide chemise hawaïenne, course à relais, karaoké de chansons de plage. Dans un coin du gymnase, Alexis attendait de recevoir le témoin de son coéquipier pour s'élancer dans un trajet rempli d'obstacles. Visiblement en forme, il a dominé les trois premiers quarts du trajet, jusqu'à ce qu'il me voie dans les gradins et qu'il s'enfarge dans ses pieds, évitant de justesse une collision avec un appareil de gymnastique.

Oh mon Dieu, t'as presque provoqué une troisième blessure en quatre mois !

— Qu'est-ce qui t'arrive ? demanda Alexis en s'approchant, avec une main sur la bouche.

La veille, j'avais fait un tour à la pharmacie.

— T'aimes pas ça ? répondis-je, inquiète.

Pour le détachement de ce que les autres pensent, on repassera…

— Ben oui ! s'exclama-t-il. Mais t'es rendue blonde !

Je m'étais acheté un décolorant à cheveux et une boîte sur laquelle on pouvait lire « blond très clair naturel doré ». Après environ une heure dans la salle de bain, j'ai fait semblant de sortir de la douche, avec une serviette sur la tête, afin d'éviter la désapprobation de mes parents. Ce matin, j'ai quitté ma chambre en vitesse, avec une tuque sur la tête.

— Fin observateur, répliquai-je à Alexis.

— C'est… tellement… différent !

Que signifiait son incapacité à formuler une phrase charmante ?

— Embrasse-moi donc au lieu de me regarder avec tes yeux de poisson !

Moins de questions, plus d'action.

— T'es sûre ? répondit-il. Ça fait une demi-heure que je cours comme un perdu. J'ai eu chaud…

— Je m'en fous ! répliquai-je avec un sourire de gamine. Je veux un bisou.

Avec hésitation, il m'a donné un bec rapide, comme ceux que mes parents se donnaient à l'occasion.

— Quoi ? dit-il devant mon visage déçu. Il faut que j'aille prendre une douche. Tu peux m'attendre si tu veux…

Je percevais un milliard de nuances entre « j'aimerais ça te voir après » et « reste si ça te tente, je verrai si ça me plaît ». Je l'ai regardé se réfugier derrière la porte du vestiaire en tentant d'étouffer une autre question insistante. Vingt minutes plus tard – soit le double du temps habituel –, il est sorti. Je n'arrivais pas à déterminer s'il était heureux que je l'aie attendu.

— Tu veux faire quoi ? demandai-je en forçant légèrement mon enthousiasme.

— Qu'est-ce que tu veux dire ?

Sa voix était prudente.

— Pour notre soirée !

— Oh merde ! J'avais oublié ! J'ai prévu un travail d'équipe tantôt. Je peux vraiment pas annuler...

La rapidité avec laquelle il avait ajouté la dernière phrase n'augurait rien de bon.

— C'est à quelle heure ? rétorquai-je faussement calme. On pourrait se voir avant, au moins...

— Ouin, souffla-t-il. J'ai un petit vingt minutes, si tu veux...

À nouveau, son choix de mots me mettait hors de moi.

— Alexis, si t'as pas envie de me voir, t'as juste à le dire !

— Ben là... pourquoi tu dis ça ?

— T'es super distant depuis tantôt. T'as même pas l'air content que je sois ici...

Le malaise entre nous s'est amplifié.

— Je sais pas quoi dire…

Je refusais de lâcher le morceau.

— Tout va bien ? dis-je. Quelque chose s'est passé avec tes parents ou à l'entraînement ? Ton coach devait être fier de ta médaille, non ?

Si je possédais ne serait-ce qu'une once de courage, j'aurais plutôt demandé si son comportement étrange découlait du « je t'aime » que je n'avais pas encore formulé.

À moins qu'il doute à son tour… de moi, de lui, de nous.

— Oui, oui, répondit rapidement Alexis. C'était la première fois qu'un de ses athlètes montait sur le podium dans une compétition aussi importante.

Son ton s'était adouci. J'ai donc poursuivi la conversation sur le sujet, plutôt que de le confronter.

— Raconte-moi un peu comment la compétition s'est déroulée. À part la médaille, je suis au courant de rien.

Il a souri en coin, comme s'il percevait le détour que je prenais pour tempérer la situation.

— Pour une fois, j'ai bien utilisé les conseils de mon coach…

— Lesquels ?

— Il savait que je stressais, parce que j'ai peu d'expérience à ce niveau-là. Alors, il m'a rappelé que j'avais aucun contrôle sur mes adversaires : s'ils avaient une bonne journée, s'ils étaient stressés, malades ou en confiance. Tout ce que je pouvais faire, c'était de penser à moi et au travail que j'avais accompli pour me qualifier.

Ses paroles me faisaient penser à ce que mon professeur de musique me disait avant mes compétitions.

— Au fond, reprit Alexis, il a répété sans le savoir ce que la psy m'avait conseillé dans le temps.

— Pour ton judo ?

— Non, avec mes parents. Elle insistait pour que je leur exprime mes besoins clairement, au lieu d'espérer qu'ils les découvrent comme par magie. Et elle me suggérait de diminuer mes attentes. Selon elle, je devais accepter qu'ils s'occuperaient toujours un peu plus de ma sœur et qu'ils ne combleraient peut-être jamais tous mes besoins…

Ouf.

— Il me semble que t'étais jeune pour accepter ça.

— Vraiment ! J'avais dix ou onze ans. Au début, je pouvais même pas l'entendre me dire ça. Mais, avec le temps, j'ai essayé et ça m'a aidé un peu. Je serai probablement jamais en paix avec ça, sauf que je réussis à moins m'en faire. Et j'essaie de contrôler ce que je peux contrôler.

Je ne savais plus s'il parlait uniquement de ses parents et du judo…

— Fais-tu référence à nous deux ?

— Plus ou moins, répliqua-t-il l'air malicieux. J'espère que tu vas m'accompagner à mon bal l'an prochain, mais je veux pas te forcer.

Un trouble est soudainement apparu dans mon ventre.

— Je peux pas prédire l'avenir, Alexis...

Il a baissé les yeux, déçu de ma réponse.

— Je dois vraiment partir..., dit-il. Mes coéquipiers vont m'attendre.

Lilie ! S'il te fait autant d'effet, pourquoi as-tu le pied sur le frein ?

Avant qu'un milliard de questions m'envahissent, je me suis mêlée aux participants du carnaval. Presque instantanément, les M&M m'ont rejointe, avec une abondance de commentaires.

— Qu'est-ce qui t'est passé par la tête ? demanda Magalie ébahie. Je t'ai presque pas reconnue !

— C'était le but..., répondis-je sans conviction.

— Moi, j'aime ça, formula Emma avec aplomb. Ça te vieillit un peu. Pis, ça te donne un petit côté *wild*.

— T'es-tu fait bleacher pour que ça soit pâle de même ? s'informa Marie-Ève.

Tout d'un coup, je me suis sentie fière de mon audace et j'apprivoisais l'idée d'être le centre de l'attention.

À défaut d'en avoir suffisamment de la part de celui qui compte vraiment...

: :

J'ignorais ce qui me bouleversait le plus : l'intérêt relatif de mon copain pour ma nouvelle tête, la retenue dont il avait fait preuve en ma présence ou mon incapacité à parler de lui comme mon « amoureux ». Je n'avais aucun mal à le désigner comme mon *chum*, mais j'étais incapable de m'approprier le champ lexical des sentiments. Je me sentais engagée envers Alexis. Je n'avais aucune envie d'aller voir ailleurs ni de redevenir célibataire. Pourtant, j'étais incapable de lui dire « je t'aime ».

De quoi j'ai peur ?

Ne sachant plus par quel angle aborder le sujet, je suis allée chercher la perspective des Leclair. Chose que j'ai trouvée, après avoir subi leurs réactions à mon changement capillaire.

— Oh mon doux ! dit la *mamma*. Qu'est-ce que t'as fait à ma petite Lilie ?

— Je l'ai étouffée dans son sommeil ! répondis-je du tac au tac.

— Dis pas des affaires de même ! répliqua-t-elle en riant. Je… je pensais jamais… ça te fait bien !

— Mmmoui, c'est ça.

Je doutais soudainement de mon choix.

— Non, non, je te jure que j'aime ça ! C'est juste…

— Oh. Mon. Dieu ! s'exclama Émile avant que sa mère finisse sa phrase.

Il s'était précipité vers l'escalier en entendant l'émoi dans l'entrée.

— As-tu perdu une gageure avec tes frères ?

— Émile ! coupa Maude.

— T'es vraiment con ! ripostai-je. J'aurais pas dû venir.

— Mais non ! dirent la mère et le fils en chœur.

Paul a contourné sa femme pour m'observer de plus près.

— Écoute-les pas, dit-il en plaçant une main sous mon menton pour que mon visage capte la lumière. Je t'ai toujours aimée au naturel… mais le blond ajoute de la profondeur à tes yeux. T'es encore plus inoubliable !

— Awwww ! T'es gentil !

C'est tout ce qu'il me fallait pour assumer ma transformation. Peu importe ce que les autres pensaient.

De toute façon, t'as besoin de leur avis sur quelque chose de ben plus important !

J'ai d'abord fait signe à Maude que je voulais lui parler. Lorsque nous nous sommes retrouvées, seule à seule, je lui ai expliqué les développements avec Alexis, mon incapacité à plonger, mes hypothèses et mes doutes. Selon elle, la perspective de notre première relation sexuelle avait peut-être l'effet d'une épée de Damoclès au-dessus de ma tête.

— Alexis a dit qu'il t'attendrait, et je suis certaine qu'il est sincère, dit-elle. Mais il est pas le seul avec des désirs… Plus le temps passe et plus t'es à l'aise avec lui. Tsé, ça se peut que tu veuilles faire plus que du *necking*. Par contre, ça se peut aussi que ça te stresse et que t'aies l'impression que si tu franchis l'étape du « je t'aime », t'auras plus de raisons de repousser le sexe.

Elle me regardait réfléchir avec tendresse.

— Je sais que tu veux probablement pas parler de ça, ajouta-t-elle, mais si t'as des questions là-dessus, je suis là.

— Pas pour l'instant, répondis-je gênée. Mais… ça s'en vient.

— Y a pas de presse. Ça va me laisser le temps de trouver quoi dire !

Une minute plus tard, j'ai retrouvé Paul. Il analysait les photos que j'avais sélectionnées récemment.

— T'as vraiment l'œil pour choisir celles qui parlent le plus, dit-il dans le calme de sa chambre noire.

— Ça fait des années que je vous regarde aller, Émile et toi. Ça doit avoir laissé des traces…

— J'aurais dû te demander de l'aide avant !

Si l'éclairage l'avait permis, il aurait vu mes joues s'empourprer.

— Je pense pas qu'Émile aurait accepté de se faire tasser…

— T'as raison.

— Comment ça va, vous deux ?

Depuis notre retour en classe, je craignais que mon meilleur ami soit à nouveau confronté à une pluie d'insultes et qu'il ait encore le réflexe de se protéger, de se fermer et de repousser ceux qui ne comprenaient pas son attitude belliqueuse.

— Comme ci comme ça, répondit Paul. J'attends qu'il vienne vers moi. Je sais pas si c'est la solution…

Son incertitude me faisait penser à mes propres inquiétudes. Comme si, malgré les vingt-quatre ans qui nous séparaient, Paul se sentait aussi démuni que moi.

— Je sais pas si j'ai le droit de te dire ça..., murmurai-je en cherchant mes mots. Tu devrais pas attendre qu'il fasse les premiers pas. Émile a vraiment une tête de cochon quand quelque chose le choque ou... lorsqu'il a de la peine. Il est blessé présentement.

— Par moi... ?

— Non... pas vraiment, dis-je à reculons. Je peux pas t'expliquer ce qui se passe, parce qu'il me le pardonnerait jamais. En fait, je devrais même pas te dire ça... mais, des fois, Émile a l'impression que tu te préoccupes pas vraiment de lui et de Maude.

Un lourd silence planait dans la noirceur. J'ai tenté de préciser ma pensée.

— Quand tu pars sans donner de nouvelles, il comprend pas. Dans sa tête, c'est comme si tu pensais que ton absence n'avait aucune influence sur eux... ou comme si eux n'avaient pas d'importance. Ça le tue par en dedans.

J'ai senti Paul se briser. Après de longues minutes, il a formulé une réponse douloureuse.

— C'est pour eux que je fais ça. Je... des fois, ça bouille par en dedans. Ça bouge tellement fort que j'arrive plus à voir clair. Je suis plus moi-même. J'ai peur que ça leur fasse du mal...

Jamais je n'avais vu Paul pleurer et jamais il ne s'était confié à moi de la sorte. Pour un bref instant, j'avais l'impression que les rôles étaient inversés et que je devais le réconforter.

— Un jour..., débutai-je prudemment, Émile va avoir besoin que tu lui expliques. Il comprendra peut-être pas, mais il va t'entendre dire qu'il est important pour toi. Et tu pourrais essayer de le réapprivoiser en prenant des détours. Si t'es trop direct, il va se fermer comme une huître.

Les tensions entre Paul et Émile m'ont fait prendre conscience de ce que je faisais vivre à Alexis : à force de me tenir à distance, de peur qu'il soit déçu par ce qu'il découvrirait si je m'ouvrais complètement, je risquais de gâcher notre relation.

— Merci d'exister, cocotte, chuchota Paul.

Je lui ai donné un bisou sur la joue avant de rejoindre son fils au deuxième étage. Trop heureux de pouvoir analyser ce qui se passait dans mon couple, Émile m'a exposé sa théorie.

— Je le sais ce qui se passe avec Alexis ! Dès que tu vas lui dire « je t'aime », ça va officialiser le fait que je serai pas ton premier amour !

J'hésitais entre le trouver prétentieux et terriblement craquant.

— Y a pas un p'tit Roumain sur Terre qui va prendre ta place, Mile ! Ça fait dix ans qu'on se connaît, et il nous en reste au moins soixante-dix à nous endurer. Peu importe ce qu'on va vivre, tu vas rester l'homme de ma vie !

— T'es tellement *cute* ! répondit-il, attendri. De mon bord, y a juste Clara et toi pour être la femme de ma vie.

— Aye ! ripostai-je faussement dramatique. Je suis arrivée avant elle ! Et je suis ben plus divertissante !

Il a souri, fier de son effet.

— Je sais…

— Finalement, c'est pratique que tu sois gai : y a moins de compétition féminine pour profiter de tes beaux yeux.

Il a frissonné quand j'ai verbalisé son homosexualité. Il commençait à peine à en parler ouvertement.

— D'ailleurs, repris-je délicatement, je pense que tu devrais le dire à tes parents. Ton père vit vraiment mal avec ce qui se passe depuis quelques semaines… Il comprend plus rien.

— Ça va lui faire du bien de ressentir ce que je vis, quand il disparaît.

— Tu vas quand même pas leur cacher ça toute ta vie ?

— Ben non ! J'ai décidé de leur annoncer cet été, après mon anniversaire.

— En attendant, tu vas encore te faire écœurer à l'école. Tu vas être à l'envers. Et tu laisseras pas tes parents t'aider, parce que tu refuses de leur dire ce qui se passe…

— Lilie, arrête.

Son ton était sans appel.

J'ai compris qu'il valait mieux rentrer chez moi. Dès l'instant où j'ai ouvert la porte, j'ai vu le visage horrifié de ma mère et je me suis souvenue de ma transformation capillaire. Face au tumulte de commentaires de mon père et de mes frères, j'ai décidé de leur clouer le bec.

— C'est juste des cheveux… ça se coupe, pis ça repousse. Si vous êtes pas contents, regardez ailleurs !

11

Au-delà du cliché: le titre du vernissage d'Émile résumait à lui seul la soirée. Pendant que mon meilleur ami exposait le fruit de centaines d'heures de travail, pendant lesquelles il avait cherché le moment précieux qui rendait chaque photo plus singulière que les milliers d'images que monsieur et madame Tout-le-monde prenaient sans réfléchir, je comprenais ce soir toute l'importance de ne pas me fier aux apparences.

Derrière le sourire de mon blondinet préféré, je percevais la nervosité qui l'habitait, l'intérieur de joue qu'il mordait et le tremblement de main qu'il maîtrisait en serrant celle des visiteurs. Même s'il prétendait être un artiste qui créait pour exprimer ce qu'il avait dans les tripes, il se souciait du regard des autres bien plus qu'il ne l'admettait.

Il va enfin comprendre que le conseil « arrête de t'en faire avec ça, amuse-toi et oublie le monde qui te regarde » est sûrement aussi efficace pour se détendre que de boire du Red Bull avant d'aller dormir...

Une mise en perspective semblait tout aussi nécessaire pour décoder Alexis. J'aurais pu me contenter de le regarder rigoler avec Jo et Sarah-Maude, soulagée de le voir de bonne humeur. Pourtant, ses agissements des derniers jours n'avaient rien pour me rassurer: il me rappelait une fois sur deux, je le croisais mille fois moins souvent qu'avant dans les corridors de l'école et son non-verbal me donnait l'impression qu'il cachait quelque chose.

J'avais imaginé lui en parler durant le tête-à-tête que nous avions prévu avant l'exposition, mais les choses ne s'étaient pas du tout déroulées comme je l'espérais. Je croyais qu'en partageant un gâteau au fromage décadent, des chocolats chauds et quelques jujubes dissimulés dans mon manteau, le *rush* de sucre allait nous plonger dans un état d'excitation propice au retour de notre complicité. Et pourtant…

— Voyons, Lilie…, dit-il en découvrant notre buffet sucré. C'est ben trop!

— De quoi tu parles? Je pourrais engloutir le double de sucre à moi toute seule!

— Peut-être, mais pas moi!

Il semblait réellement troublé.

— Mets-toi pas dans cet état-là… Mange ce que tu peux et laisse-moi le reste.

— Excuse-moi… je pense que j'ai besoin de prendre l'air. Est-ce que ça te dérange si on se rejoint à l'expo, tantôt?

— Non, non… ça va.

Mais qu'est-ce qui se passe ?!

Deux heures plus tard, en plein vernissage, je me posais la même question. J'avais du mal à me concentrer sur les photos tant j'espérais comprendre ce qui lui arrivait. Cela dit, je gardais mes distances. À l'exception d'un bisou volé à son arrivée, nous ne nous étions pratiquement pas parlé. J'avais peur de le déranger, de lui déplaire et d'avoir une autre mauvaise bonne idée.

Je n'ai toujours pas compris ce qu'il y a de mal à se bourrer de sucre...

Plutôt que de m'en faire toute la soirée, j'ai dévolu mon attention à mon meilleur ami. Dès l'instant où ses parents ont fait leur entrée, sa fébrilité a décuplé. Émile n'avait d'yeux que pour son père. Comme si, malgré le froid qui enveloppait leur relation depuis peu, Paul demeurait la personne la plus importante à ses yeux. Chaque fois qu'il arrivait devant une œuvre, son fils scrutait ses réactions, tentant de prévoir les commentaires, les conseils et d'éventuelles critiques. Je m'apprêtais à le rejoindre pour l'aider à se détendre lorsque Alexis s'est approché de moi. Le visage repentant, il s'est penché à mon oreille.

— Je m'excuse pour tantôt...

J'ignorais comment réagir.

— J'aurais pas dû m'impatienter, ajouta-t-il. Sauf que je... je sais pas comment te dire ça.

Tous mes mécanismes de survie se sont enclenchés. Je l'ai laissé poursuivre.

— Il s'est passé quelque chose à Calgary…

Qu'est-ce qui s'est passé ? T'as rencontré une fille ? T'as frenché ? Je le sav…

— Les gens de la fédération canadienne m'ont proposé quelque chose.

Fausse alerte ! Alexis Séguin ne m'a pas trompée. Je répète : fausse alerte !

— C'est qu… quoi le rapport avec moi ? bredouillai-je comme si j'avais oublié comment m'exprimer.

— Chaque fois que je te vois, que tu m'appelles ou que je pense à toi, je me mets à angoisser.

Quoi ? Je suis une source d'anxiété pour toi ? Je nuis à ta vie, à ton sport ? Les dirigeants de Judo Canada s'en sont rendu compte et ils t'ont conseillé de voir un psy pour mieux gérer ma présence dans ta vie ?

— Ça les inquiète ? demandai-je les sourcils chargés d'incompréhension.

— Non…, répliqua Alexis avant de prendre une grande respiration. Ils veulent que je fasse partie de l'équipe nationale junior.

Danger évité. Veuillez ranger vos armes. Je répète : danger évité.

— C'est donc ben génial, ça ! Tu travailles tellement fort chaque semaine, et ça paie enfin !

Il me dévisageait comme s'il allait lâcher une bombe atomique.

— Si j'accepte, je vais devoir déménager à Montréal…

Mon cœur s'est fissuré.

: :

J'évitais mon copain depuis soixante-douze heures. Même si une part de moi sentait qu'il était sur le point de disparaître et qu'il me fallait profiter de chaque seconde avant son départ, une autre exigeait que je me protège et que je réfléchisse. Lors du vernissage, mon cerveau n'avait pas réussi à formuler une réponse. Tel Hiroshima après l'attaque des Américains, mon esprit était dévasté, gris et poussiéreux. Il n'arrivait pas à trouver un sens à ce qui lui arrivait, incapable d'apercevoir l'issue de ce cul-de-sac. Alexis ne pouvait pas refuser une telle opportunité. Si j'osais me mettre entre son rêve et lui, sous prétexte qu'il devait me prouver son amour, je serais la pire des idiotes. La vraie question était ailleurs.

Voulons-nous affronter la tempête de la relation à distance ou nous désintégrer avant que le vent se lève ?

Je ruminais depuis des jours dans mon coin, sans trouver le courage de partager ce que je vivais avec Émile, Paul ou Maude. Comme si le fait de verbaliser ce qui s'en venait allait tout empirer. Je ne voulais pas mettre fin à notre histoire pour une raison géographique, mais je ne connaissais personne qui avait vécu une relation à distance dans la sérénité.

Je regardais la mer en la maudissant. Contrairement aux années durant lesquelles l'horizon prenait la forme d'une sortie de secours, cette ouverture vers l'ailleurs m'apparaissait désormais comme la cause de mon premier échec relationnel. Je marchais vers la polyvalente en reprochant à mon école son absence de programme Sport-études et j'adressais des vacheries à ma ville natale, loin des grandes compétitions auxquelles Alexis participerait deux ou trois fois plus souvent. Je bouillais par en dedans. Mes mains devenaient moites. Mon souffle court. Toutefois, aucune crise de panique ne se préparait. J'étais trop concentrée sur ma colère pour que mon système se dérègle. À quinze mètres de la poly, j'ai vu Émile qui s'éloignait en sens inverse. Dès que j'ai changé de direction pour le rejoindre, le visage d'Alexis est apparu dans le cadre de porte. Il m'attendait.

— Lilie, attends ! cria-t-il en courant vers moi. Faut que je te parle !

— Pas maintenant...

Le choix entre mon meilleur ami et une discussion tourbillon avec Alexis m'apparaissait évident.

— Émile ! Qu'est-ce que tu fais ?

Mon voisin avait l'air abattu.

— Je retournerai plus jamais dans cette maudite école-là !

— Qu'est-ce qui se passe ?

Alexis est demeuré en retrait.

— Tout le monde a lu l'article dans le journal local...

J'avais moi aussi consulté la page consacrée à l'exposition de mon ami. La journaliste ne connaissait visiblement rien à la photo, mais son texte était positif du début à la fin. Je ne comprenais pas ce qui le tracassait.

— OK…, dis-je calmement. Il est où le problème ? La fille conseille à tout le monde d'aller voir ton expo.

— Hier après-midi, quand Régine travaillait à l'arrière du café, des gars en ont profité pour faire des graffitis sur mes photos…

— T'es pas sérieux !

Son histoire m'enrageait encore plus que je ne l'étais depuis mon réveil.

— Quand elle est revenue à la caisse, ils étaient déjà partis avec cinq des cadres. La police les a retrouvés, tous pétés… Pis, à cause du *spray* sur les murs, Régine a été obligée de décrocher les autres pour repeindre. Ils ont tout gâché…

Il se retenait pour ne pas pleurer. Je sentais que les heures qu'il venait de traverser étaient aussi troublantes, sinon plus, que mon audition manquée à Vancouver : le saccage de sa première exposition était l'équivalent d'une audition interrompue en plein milieu, sans possibilité de reprise.

— Tu penses qu'ils se sont rendus au café pour tout cochonner, après avoir lu le journal ?

La réponse à ma question n'était pas importante, mais il valait mieux ramener Émile dans une zone pragmatique.

— Je sais pas, répondit-il débobiné. Je veux plus jamais refaire ça de ma vie !

— Mile… Tu peux pas priver le monde de ton talent juste parce que des caves ont détruit ton travail.

Il a soupiré lourdement.

— Je suis sérieuse ! J'ai pas eu le temps de te donner mes impressions, l'autre soir, mais j'étais super impressionnée. Des fois, on dirait que tu veux faire aussi bien que ton père, en reproduisant un peu son style. Mais dans l'exposition, je voyais juste toi. Et c'était vraiment beau.

Ses épaules se sont décrispées.

— Donc, dit-il, j'ai pas le droit de mettre une croix sur ma carrière et d'abandonner l'école pour reprendre la ferme de mes grands-parents, comme ils en rêvent depuis si longtemps ?

J'ai retenu un éclat de rire. Un peu plus loin, Alexis m'a souri timidement.

— Seulement si tu me laisses devenir ton associée !

— Ben là ! répliqua-t-il. T'as peur de traire une vache. Tu casses la moitié des œufs que tu ramasses. Pis, si c'est toi qui fais à manger, c'est clair que je vais devenir encore plus maigre et qu'on va faire faillite en moins d'un an !

J'étais sur le point de le relancer, lorsque j'ai croisé le visage mauvais d'Éric Landry, celui qui se servait d'Émile comme *punching bag.* J'espérais que mon meilleur ami ne l'avait pas vu, mais l'idiot du village a gâché mon plan.

— Aye, le fif ! lança-t-il en s'approchant. J'ai entendu dire que Régine avait enlevé tes photos après deux jours. Ça devait être tellement laite que ça faisait fuir les clients !

Il ricanait comme les hyènes dans *Le Roi lion.*

— Ferme donc ta gueule, Landry !

Émile avait balancé sa réplique avec une rage que je ne lui connaissais pas.

— Quessé que t'as dit ?

Éric n'attendait que ça : une confrontation.

— Fais donc plaisir à tout le monde, pis fais-toi enlever les cordes vocales, riposta Émile.

Je n'ai pas pu m'empêcher de rigoler.

— Criss de con ! Tu te penses peut-être ben *bright* avec tes répliques toutes faites, mais chu sûr que t'es pas capable de te battre pour vrai. Ton père doit pas t'avoir appris à être un homme…

— T'as raison, répliqua mon ami. Il devait être trop occupé à travailler pour ça. C'est pas comme le tien, qui peut seulement t'enseigner à utiliser tes poings. Tsé, pour compenser…

Éric s'est précipité sur Émile en le prenant par la gorge.

— Lâche-le, maudit débile ! criai-je en m'agrippant à son bras. Tu vas l'étouffer !

Une fraction de seconde plus tard, Alexis a donné un coup de poing dans les flancs d'Éric, qui a relâché sa proie, avant de plier en deux. La cloche a sonné et la surveillante n'a rien trouvé de mieux à faire que d'exiger aux quelques élèves autour de nous de rentrer en classe, avant d'aller chercher du renfort. Le temps de reprendre son souffle, l'imbécile a chargé comme un taureau pour se venger, sans se douter que mon judoka favori n'aurait besoin que d'un mouvement pour l'esquiver et d'un autre pour l'envoyer à plat ventre sur l'asphalte plein de roches. Les mains et le visage ensanglantés, Éric s'est relevé afin de poursuivre les hostilités.

— Le premier jour que je t'ai vu icitte, je le savais que tu ferais du trouble ! beugla-t-il.

Alexis a répliqué avec un sourire baveux.

— T'as aucune chance, Landry. Je pourrais te planter les yeux fermés tellement t'es bruyant pis malhabile.

— Tu vas regretter d'avoir défendu la tapette, mon tabarnak !

Éric a sorti de sa poche de jean un poing américain : un objet de métal qu'il a installé sur ses jointures. Émile a voulu s'interposer verbalement, mais sa gorge ne produisait rien d'audible, après avoir été écrasée. Je ne savais plus quoi faire. Landry pesait au moins trente livres de plus qu'Alexis et il était armé. Il se dirigeait vers mon copain lorsque la voix du directeur a résonné plusieurs mètres derrière nous.

— Arrêtez ça ! Maintenant !

Indifférent à ses ordres, Éric a pris un élan vers le visage d'Alexis, avant que celui-ci, presque sans effort, effectue une torsion arrière avec le haut de son corps et lui fasse une clé de bras. Éric gémissait de douleur.

— Alexis, lâche-le ! cria le directeur.

Mon copain l'a écouté sans se faire prier, et Éric s'est retrouvé au sol.

— On est dans une cour d'école, ici ! reprit le directeur. C'est pas la place pour vous battre comme des sauvages.

J'ai jeté un œil à Émile, qui semblait mieux se porter. De son côté, Alexis n'avait pas la moindre égratignure.

Je suis presque contente d'être en couple avec un futur membre de l'équipe nationale junior de judo…

— Vos parents vont m'entendre, vous pouvez être sûrs !

Éric a subtilement rangé son arme en se relevant.

— Vous deux, continua le directeur en désignant Alexis et son opposant, vous êtes suspendus pour la semaine !

— Quoi ? s'égosilla Alexis. Vous savez même pas ce qui s'est passé ! C'est lui, le responsable !

— *Fuck you !* répliqua Éric.

— Aye ! gronda le directeur. Éric ne s'est certainement pas pitché au sol pour le plaisir de saigner.

— Je faisais seulement défendre Émile et Lilie ! riposta Alexis. Il l'aurait étranglé si j'avais rien fait !

— Je veux pas vous entendre !

Devant pareille injustice, je ne pouvais tout simplement pas rester silencieuse.

— C'est ça, votre méthode d'intervention ? demandai-je avec tout le sarcasme dont j'étais capable. Écouter personne et suspendre tout le monde ?

— Si tu dis un mot de plus, répondit-il, ça va me faire plaisir de te renvoyer chez tes parents, toi aussi…

— Ben oui, c'est tellement plus facile de se débarrasser du problème ou de faire comme s'il n'existait pas ! Éric insulte

Émile sans arrêt ! Tout le monde le voit faire depuis des mois ! Tous les profs le savent, mais personne réagit !

— On peut quand même pas intervenir chaque fois que deux adolescents s'écœurent, répliqua le directeur.

— C'est pas deux ados qui s'écœurent, c'est un élève qui en martyrise un autre. Et toujours pour la même raison !

J'essayais de défendre mon ami sans trahir son secret.

— Sti de conne ! dit Landry en sortant soudainement de son mutisme.

— Vous allez me suivre dans mon bureau, et je vais appeler vos parents, poursuivit le directeur.

Le bouillonnement qui se tramait en moi depuis des jours était impossible à contenir.

— Dans le fond, vous êtes comme Éric : un gros homophobe dégueulasse !

: :

Le contraste entre nos familles était frappant. Maude était arrivée la première, surprise de se retrouver à l'école en plein jour. Quand elle a vu les traces de mains sur le cou de son fils et appris qu'il écopait d'une suspension de deux jours parce qu'il avait insulté celui qui le harcelait depuis septembre, ses yeux sont devenus des mitraillettes. Ne reculant devant aucun argument de la direction, elle s'est insurgée avec vigueur jusqu'à obtenir gain de cause : Émile retournerait à l'école le lendemain et le personnel de la poly devrait redoubler d'efforts pour éviter que le climat toxique des derniers mois soit maintenu. C'était la première fois que je voyais la *mamma* dans un tel état. Sa façon de défendre mon ami m'emplissait de fierté.

On ne peut pas en dire autant des autres...

Dix minutes après le départ de Maude, la mère d'Alexis est arrivée, l'air agacé. Écoutant partiellement les paroles du directeur, elle a pris son garçon par le coude et l'a entraîné vers le couloir.

— Une journée de congé ! s'emporta Anne-Sophia. Juste une, pis il fallait qu'on me dérange avec une affaire de même... Si j'avais su que t'étais le genre à te battre, je t'aurais jamais inscrit au judo !

Je ne pouvais pas m'empêcher de souffrir pour Alexis : il avait plus souvent l'impression de déranger ses parents que de les intéresser. Si sa mère prenait le temps de l'écouter, elle comprendrait que le sport de son fils lui avait permis de défendre Émile et d'éviter d'être lui-même blessé.

Chère belle-maman, tu viens de baisser dans mon estime...

Sans surprise, les Jutras n'avaient pas fait mieux. Puisque ma mère était impossible à joindre durant ses ménages en ville, mon père a quitté son garage pour venir à la poly. Il a écouté le directeur sans broncher, avant de me faire un signe de tête pour que je le suive. Dans le couloir, j'ai vu la mère d'Éric faire son apparition. Sur le trajet du retour, aucune parole n'a été prononcée. Mon père a attendu le retour de sa femme pour lui résumer la situation, en prenant plein de détours. Elle a répété trois fois « ben voyons donc », comme si elle venait d'apprendre que j'étais une meurtrière. Et moi, je refusais d'accepter une injustice de plus.

— Faut quand même pas capoter !

— Eh câlice, tonna mon père. Commence pas !

— Je sais pas ce qu'on a fait pour mériter des enfants de même, ajouta ma mère.

Mes frères, aussi turbulents soient-ils, ne causaient jamais de problèmes à l'école. Pour ma part, jusqu'à tout récemment, j'avais été trop occupée par la musique pour avoir conscience de ce qui s'y passait…

— Ben oui, hein ! répliquai-je. Ça doit être difficile de savoir que votre fille a voulu défendre son meilleur ami !

— Aye ! dit mon père de sa voix orageuse. Prends-nous pas pour des caves !

Je me suis retenue de répondre : « Vous avez juste à pas l'être ! »

— J'ai rien fait !

— T'as traité le directeur de gros homophobe ! s'emporta ma mère.

Gros homophobe dégueulasse, pour être plus exacte.

— Vous m'avez toujours encouragée à dire la vérité…

— Lilie Jutras, martela mon père. Mets pas ça sur notre dos, en plus !

Une veine frémissait sur sa tempe gauche, signe de son exaspération.

Peu importe. Je devais me défendre.

— Vous vous intéressez seulement à ce qu'on fait de pas correct, mais jamais à ce qu'on fait de bien !

Ma mère m'a jeté un regard mauvais avant de répondre.

— C'est quand la dernière fois que t'as fait quelque chose de bien ?

J'ai reçu son point d'interrogation comme un boulet de canon en pleine gueule.

— Pis comment veux-tu qu'on voie tes bons coups ? renchérit-elle. Tu t'arranges toujours pour être ailleurs, chez les voisins, chez ton petit chum, au travail ou à la poly !

J'aurais pu leur rappeler qu'ils m'avaient forcée à travailler, mais j'étais trop blessée pour ne pas contre-attaquer.

— Tu me diras c'est quoi le meilleur âge pour lâcher l'école, pis devenir comme toi… Je suis prête à gâcher ma vie, moi aussi !

Le silence qui a suivi n'a fait qu'amplifier le son de la gifle que ma mère m'a donnée.

: :

La joue rouge, je m'étais précipitée chez les voisins. Jamais ma mère n'avait levé la main sur moi. Troublée par son geste, j'ai fui comme un animal blessé.

— Voyons, ma chérie…, dit Maude en m'ouvrant. Qu'est-ce qui s'est passé ? Qui t'a fait ça ?

Sous le choc, je me suis réfugiée dans ses bras, surprise d'avoir autant de larmes à expulser. Nous sommes allées nous asseoir au salon, j'ai posé ma tête sur ses genoux et elle m'a flatté le dos, comme elle le faisait avec Émile quand il était petit. Quinze minutes sont passées. Ma respiration s'est stabilisée. Et j'ai résumé ce qui s'était produit avec le moins de mots possible.

— Quand maman m'a vue sortir, ajoutai-je en terminant, elle a dit que si je m'en allais, je n'étais plus la bienvenue !

J'ai tourné la tête vers Maude pour vérifier si elle croyait ma mère capable d'une telle réaction mélodramatique, digne des mauvais feuilletons américains.

— Elle était en colère... Je pense que tu devrais laisser passer quelques jours et essayer de t'excuser.

J'ai relevé le haut de mon corps pour me défendre.

— Mais, c'est pas moi qui l'ai frappée ! J'ai juste...

Elle m'a interrompue en posant sa main sur ma joue.

— Lilie, ta mère voit pas clair présentement. À la moindre confrontation, elle va exploser. L'important, c'est pas de savoir qui a fait la pire horreur... mais de rétablir le climat familial.

J'ai grimacé à l'idée de retrouver une dynamique qui ne m'avait jamais rendue heureuse.

— J'ai pas apporté de linge...

— Je vais aller chercher ce qu'il te faut, quitte à me faire détester par tes parents pour un petit bout.

Sa réaction était ma seule source de joie depuis le réveil.

— J'ai juste besoin de vêtements et de mon iPod. J'ai une brosse à dents quelque part ici. Pis j'ai pas besoin de mes affaires d'école : je suis suspendue pour dix jours…

Le directeur me punissait plus longtemps qu'Éric et Alexis, simplement parce que je l'avais insulté… et que j'avais déjà un avertissement à mon dossier, depuis mon altercation avec ma prof de mathématiques.

— Je vais t'aider à une condition, répondit la *mamma* le plus sérieusement du monde. J'ai besoin de savoir ce qui se passe avec Émile. J'ai toujours respecté son jardin secret, mais quand mon gars revient avec des marques de strangulation autour du cou, c'est pas vrai que je vais rester là sans rien faire…

12

Moi qui croyais tout connaître des Leclair, je découvrais depuis quelques jours de nouvelles facettes à leur vie familiale. Émile s'enfermait au moins deux heures chaque soir pour lire dans sa chambre, pendant que ses parents écoutaient de vieux airs de jazz au salon. Maude était responsable du souper un soir sur deux, sans jamais toucher à la vaisselle. Quant à Paul, il se révélait plus complice que jamais avec moi, comme si le fait de m'avoir à temps plein sous son toit le poussait à développer une relation plus forte que celle que nous avions bâtie depuis dix ans. Jamais je n'aurais cru que je pouvais les aimer plus fort.

Faut dire qu'ils profitent de la comparaison avec les Jutras…

Surtout avec mon père et ma mère, puisque mes frères étaient de véritables alliés depuis mon départ. Jérémie était venu me porter des réserves de nourriture, des fruits et des barres tendres, pour combler mes creux de fin de soirée, lorsque je me sentais mal de consommer la nourriture de mes hôtes. Jonathan m'avait visitée deux fois en cinq jours pour prendre des nouvelles et m'expliquer que j'étais devenue l'héroïne de l'école.

— L'histoire s'est un peu déformée avec le temps…, m'avait-il raconté. Il paraît que tu t'es battue à mains nues avec le directeur et qu'Alexis lui a fait des prises de kung-fu !

J'ai éclaté d'un grand rire libérateur. Cependant, les idioties de Jo ont suscité des craintes dans mon esprit. J'avais peur que mon meilleur ami passe un mauvais quart d'heure à la polyvalente, sans Alexis ni moi pour le protéger. Éric Landry avait écopé comme mon copain d'une semaine entière de suspension, puisqu'il avait caché son poing américain et que notre directeur était un incompétent. Malheureusement, il n'était pas son seul tortionnaire.

— Qu'est-ce que le monde dit d'Émile ?

— Pas grand-chose, m'assura Jonathan. Ses marques paraissaient presque pas le lendemain. Pis, il est vraiment *low profile*…

Ça me tuait d'imaginer que mon ami se sente obligé de disparaître pour passer à travers ses journées.

— Maudite école pleine d'attardés…, dis-je en soupirant.

— T'inquiète pas. Je garde un œil sur lui.

La bonté qui émanait de sa dernière phrase m'a réconciliée avec l'humanité. Grâce à Jonathan, je me suis rendue à la fruiterie avec un peu de légèreté dans l'âme. Le caractère répétitif des tâches faisait du bien à mon cerveau, qui avait un urgent besoin de repos. La bonhommie de mon patron, doublée de l'énergie contagieuse de Marc-Olivier, avait étampé un sourire à mon visage pendant quatre heures. Lorsque je suis retournée dans ma famille d'accueil, j'ai tenté de partager ma joie avec Émile, que j'avais rarement vu aussi éteint. J'ignorais s'il était encore traumatisé par l'assaut dans la cour d'école ou si sa peine était causée par l'annulation de son expo. J'étais sur le point de tâter le terrain quand Maude m'a fait signe d'approcher.

— J'ai parlé avec ta mère cet après-midi, débuta-t-elle. Je lui ai expliqué ce qui s'est passé à l'école, pourquoi t'as voulu défendre Émile et à quel point la situation a été mal gérée. Elle est encore horrifiée par ce que tu as dit au directeur... mais quand je lui expliqué ce qui aurait pu arriver à mon gars, si Alexis et toi n'étiez pas intervenus, je pense qu'elle s'est calmée un peu.

La *mamma* adoptait elle-même une attitude étonnamment posée depuis l'altercation dont avait été victime son garçon. Après avoir défendu Émile bec et ongles auprès de la direction, elle avait repris le train-train quotidien, sans insister sur la nature des insultes que je lui avais révélée. À voir les réactions de Maude et Paul, j'étais persuadée qu'ils se doutaient depuis un moment que leur fils était différent... mais il semblait hors de question pour eux de le pousser à faire une sortie du placard hâtive.

— Tu me donneras tes trucs, répondis-je au sujet de ma mère. Ça fait quinze ans que j'essaie de me faire comprendre !

— Ouin... ben c'est pas gagné, ça. On a aussi discuté de votre chicane... Elle s'est braquée instantanément.

C'est ainsi qu'une semaine chez les voisins s'est transformée en deux.

: :

Vivre à temps plein chez les Leclair me permettait de consacrer beaucoup plus de temps au projet de Paul. Maintenant que nous avions terminé la sélection des photos pour sa rétrospective, je l'aidais à gérer les images à développer, encadrer et emballer pour l'exposition qui aurait lieu en mai, dans une galerie montréalaise. En songeant à la métropole, mon esprit a évidemment dérivé vers la – potentielle – ville d'adoption d'Alexis, que je n'avais pas revu depuis le début de nos suspensions, neuf jours plus tôt. Ses parents lui avaient interdit de sortir en dehors des heures d'entraînement. Malgré les réserves qu'avait désormais Anne-Sophia par rapport au judo, il s'était opposé à l'idée d'être privé de ses séances sur le tatami avec l'énergie du désespoir.

— Avec la compétition qui s'en vient à la fin du mois, je peux pas ralentir le rythme, sinon je serai jamais prêt! m'avait-il expliqué au téléphone.

De façon naturelle, nous avions convenu de ne pas parler de la fameuse situation avant de nous revoir. Mon petit cœur ne pouvait gérer ma crise familiale ET son départ. Je tentais de laisser les choses aller, en profitant de mes journées de suspension. Les risques de prendre du retard en fin d'année ne m'effrayaient pas outre mesure: Émile me remettait ses notes de cours, en prenant chaque fois le temps de préciser que c'est lui qui aurait dû mériter une pause de notre lieu de torture. Un soir, il était d'ailleurs revenu sur les événements.

— Lilie..., débuta-t-il avec une petite face irrésistible. Trouves-tu encore que je suis une bonne personne, même si je t'ai pas encore remerciée de ce que t'as fait, l'autre jour?

— Tu veux dire, quand j'ai crié comme une perdue et que j'ai planté mes ongles dans les biceps du gros cave ?

— Ça, et être accompagnée d'un judoka…

— T'inquiète, tu fais encore partie du top quatre des personnes que j'aime le plus sur Terre… même si ça t'a pris mille ans pour réaliser à quel point je suis rentable comme amie.

Il a roulé les yeux.

— La prochaine fois qu'Alexis va participer à une compétition, tu m'avertiras, dit-il. On ira l'encourager comme on le fait avec tes frères au hockey.

C'est-à-dire : crier beaucoup trop fort, donner des conseils sans aucune réelle connaissance du sport auquel on assiste et ne plus savoir si on est là pour le soutenir ou le déconcentrer.

— Je suis pas certaine que ça va arriver… Il s'est fait offrir une place dans l'équipe nationale junior.

— Wow ! C'est donc ben malade !

J'ai coupé son enthousiasme d'un coup.

— C'est la pire nouvelle du monde ! Il va devoir déménager à Montréal.

— Avec toute sa famille ?

— Je sais pas… On n'en a pas vraiment discuté encore.

Jamais l'aspect logistique du projet ne m'avait traversé l'esprit.

— Ben là ! répliqua Émile. Il lui reste encore un an au secondaire. Il partira pas sans ses parents…

Un espoir, enfin.

— Sa mère voudra peut-être pas qu'il déménage pour le judo, soulignai-je. Elle a pété un plomb depuis la bataille avec Éric. Elle s'imagine qu'Alexis est devenu un *bum* qui se bat tout le temps…

— N'importe quoi ! Il est ben trop gentil pour ça.

Vrai. Beaucoup trop vrai.

— Pis toi, comment ça va à l'école depuis ce qui s'est passé ?

— Mieux, marmonna Émile. Les autres doivent avoir peur de se faire suspendre, eux aussi…

— Peut-être…, dis-je en sachant qu'il valait mieux ne pas approfondir le sujet. Est-ce que ta mère prévoit aller à Montréal pour le vernissage ?

Façon subtile de lui demander s'il les accompagnerait.

— Oui ! Je vais avoir la maison à moi tout seul !

— Ça te tente pas d'y aller ? Ça va être beau, tu vas voir !

— Je sais… Mais j'aime mieux pas entendre parler d'exposition pour un bout.

La fin abrupte de la sienne faisait encore mal.

— Tu vas pas arrêter la photo, j'espère !

— Non, non, répondit-il sans conviction. J'ai juste besoin d'un *break*. Ça fait du bien, penser à rien, des fois.

Si seulement je savais de quoi tu parles…

: :

Mon père s'était adressé à moi comme s'il n'avait aucune idée de ce qui s'était passé, comme s'il n'avait pas entendu la fureur dans la voix de sa femme, comme si les traces de ses doigts ne reposaient pas à jamais dans ma mémoire. Après sa journée de travail, il m'avait vue, accroupie dans le jardin des Leclair, occupée à cacher l'un des œufs de notre chasse aux cocos de Pâques.

— Quand est-ce que tu finis ton pyjama party chez le p'tit Leclair ?

Cherchait-il à alléger l'atmosphère, à m'infantiliser ou à démontrer l'étendue de son incompréhension ?

— Le jour où je pourrai rentrer chez nous sans me faire battre !

— Bon, bon, bon… les gros mots.

— Est-ce qu'on peut arrêter de faire comme si rien s'était passé ?

— Lilie, j'ai pas envie de chicane à soir…

Un semblant de douceur émanait de lui.

— Et moi, j'attends des excuses.

— Pourquoi ? dit-il le plus sérieusement du monde. J'veux dire, t'as manqué de respect à ta mère.

— Ça mérite une claque ? C'est ça que tu me dis ?

— C'est pas ça que je…, grogna-t-il. Je pense juste que vous êtes allées trop loin toutes les deux.

— Une chance que j'ai pas appelé les gens de la DPJ : entre une ado qui gueule et une mère qui frappe, imagine quel bord ils auraient pris…

Pendant un instant, j'ai imaginé ce que serait ma vie si je ne retournais jamais dans ma famille.

— On s'ennuie de toi, ma belle fille.

Toutes les cellules de mon corps ont cessé leurs fonctions vitales, le temps d'analyser ce que mon père venait d'exprimer. Sa voix semblait sincère ; son regard, étonnamment tendre ; ses mots, absolument bouleversants. Jamais je n'avais entendu de telles paroles.

— Qui ça, on ?

— Tous les quatre, dit-il, agacé d'avoir à s'investir autant dans la discussion pour me convaincre. Tes frères nous achalent tous les jours pour qu'on vienne te voir.

Il avait insisté sur « tous les jours » avec un sourire contenu. J'ai attendu trois secondes avant de le relancer.

— Pis, maman ?

— Est trop fière pour le dire… Comme sa fille.

— Pfff ! C'est pas de la fierté, c'est…

— Lilie, m'interrompit-il. Elle m'a demandé de venir te voir. Elle fait dire qu'elle va préparer ta lasagne préférée pour le souper de Pâques, demain. J'aimerais ça que tu sois là…

Son intérêt me semblait véritable.

— Ça t'aurait fait plus de chocolat, tsé…

J'avais prononcé ma phrase avec une amabilité dont je me croyais incapable cinq minutes plus tôt.

— Faut que je fasse attention à ma ligne, ronchonna-t-il. Ta mère s'est mise dans 'tête de me surveiller…

Nos regards complices m'ont convaincue. Ou presque.

— Je viens à une condition : Émile soupe avec nous.

: :

La présence de mon ami obligeait mes parents à maintenir un climat tempéré. Les débats ont été évacués. Les sourires, un peu forcés. Les questions, nombreuses.

— Lilie, viens donc ici, deux minutes, demanda ma mère.

— Qu'est-ce qu'il y a ?

Avenante et souriante, je jouais mon rôle à merveille dans le théâtre de notre réconciliation.

— J'aimerais ça qu'on aille magasiner avec ton frère pour sa graduation. T'as toujours le tour pour ces affaires-là…

Derrière plusieurs couches de non-dits, maman tentait de mettre l'épisode de notre confrontation derrière nous. Je ne pouvais pas refuser.

— Vous voulez faire ça qu…

Un haut-le-cœur m'a chamboulée. Sans crier gare, j'ai foncé vers la salle de bain pour vomir. Ma mère s'est précipitée derrière la porte.

— Lilie ! Dis-moi pas que t'es enceinte !

J'étais trop occupée à sentir mon estomac flirter avec mon œsophage pour formuler une réplique cinglante.

— Ben non, Suzanne ! rétorqua Émile en riant. On a juste trop mangé. C'était notre troisième repas en sept heures !

1. Le brunch pascal de Jacqueline-je-suis-une-grand-mère-épanouie-seulement-quand-les-boutons-de-pantalon-de-mes-invités-s'impriment-dans-leur-ventre.
2. Les chocolats de la course aux cocos des Leclair.
3. Le combo jambon, patates pilées, ragoût, tranches de pain blanc et excès de chocolats achetés par le paternel.

— Lilie ! hurla Jérémie en direct du salon. Téléphone ! C'est Alexis.

De peine et de misère, je suis sortie de la salle de bain en tentant de me composer une voix.

— Salut, ma belle ! Je voulais juste te dire de rien prévoir demain soir : je veux fêter ton retour de suspension.

— OK, dis-je en reprenant mon souffle. Mais à une condition…

— Laquelle ?

— On mange pas de chocolat !

: :

Ses bras autour de mes épaules ont eu l'effet du plus puissant des calmants. Ses lèvres sur les miennes ont réveillé une sensation de plus en plus insistante : l'envie de franchir la prochaine étape avec lui. Je savais que ce n'était qu'une question de semaines ou peut-être de jours, mais je préférais savourer les plaisirs connus encore un peu. Le nez caché dans son cou au parfum vanillé, je savourais nos retrouvailles, quinze jours après la bataille devant l'école. Dès l'instant où j'avais aperçu sa voiture avancer sur le chemin de la Grève, mes battements cardiaques s'étaient accélérés.

Il est tellement beau !

Nous nous sommes pris dans nos bras, imperméables aux regards et aux jugements, trop concentrés à nous redécouvrir. Jusqu'à ce qu'une pensée cogne à la porte de mon esprit, en s'imposant avec évidence.

— Je t'aime.

Ces trois mots ont eu l'effet d'un feu d'artifice dans ma cage thoracique. Les libérer rendait tout plus vrai, plus fort. J'espérais qu'Alexis partage mon extase, mais ses yeux étaient chargés d'émotions déroutantes : un mélange de soulagement, de vulnérabilité, de pétillement… et de peur.

— Lilie… Je pars à Montréal, l'an prochain.

Son regard piteux ne rivalisait pas avec le chaos qui éclatait dans mon ventre. Je ne pouvais pas lui demander de renoncer à un environnement (entraîneurs, horaires, installations) qui lui permettrait d'atteindre ses rêves. Je refusais d'être celle pour qui il abandonnerait ses objectifs, son futur et la définition même de qui il était. Je connaissais trop bien ce sentiment de déroute intérieure pour le provoquer chez lui. Néanmoins, j'étais incapable de verbaliser mon soutien, de dire que je comprenais et que je l'encouragerais. Je l'imaginais déjà dans la métropole, trop occupé à s'entraîner, à se faire de nouveaux amis et à croiser des filles encore plus intéressantes que moi. Si je m'étais démarquée, sans trop savoir comment, des dizaines de filles de mon âge à Matane, j'étais persuadée de ne pas faire le poids comparée aux milliers d'adolescentes montréalaises.

Une pression est apparue sur mes tempes. J'ai tenté de faire comme si de rien n'était, mais une larme a coulé sans que je puisse la retenir. Les papillons qui s'amusaient deux minutes plus tôt dans ma cage thoracique fonçaient maintenant les uns sur les autres, en se laissant mourir sur les parois de mes poumons. Mon souffle est devenu difficile. Je luttais de toutes mes forces pour laisser passer des volutes d'air, mais plus j'aspirais l'oxygène, plus j'avais mal. La douleur qui se déployait dans mes bronches s'apparentait sans doute à celle d'un nageur qui meurt en mer. J'étais en train de me noyer par en dedans. Jusqu'à ce que deux bras se tendent et me sortent de là : Alexis a mis ses paumes sur les côtés de ma tête en m'obligeant à soutenir son regard.

— Concentre-toi juste sur mes mains.

Ses mains, sa peau, sa chaleur.

— Pense à rien d'autre.

Après cinq inspirations douloureuses, les aiguilles qui se plantaient dans mes alvéoles pulmonaires ont disparu les unes après les autres.

— Ça va aller, dit-il, soulagé de voir que je retrouvais mon calme peu à peu.

Après quelques minutes, il a pris mon menton pour que je le regarde.

— Moi aussi, ça me fait paniquer, ce qui s'en vient.

Son aveu, aussi simple soit-il, m'a délestée d'un poids.

— Mais, je sais au fond de moi qu'on peut passer au travers, ajouta-t-il. On va s'écrire, se parler au téléphone et s'acheter des webcams pour se voir. On a plein de moyens pour garder contact. Pis, on va trouver des moments pour se visiter. À Noël, durant les semaines de relâche, en été, à Pâques et dès qu'on pourra. Je sais qu'il va y avoir six heures entre nous et qu'on pourra pas se voir aussi facilement, mais dès qu'on pourra passer un congé ensemble, on s'arrangera pour rendre chaque journée spéciale.

— J'ai du mal à imaginer que ça peut marcher, murmurai-je comme si mes craintes étaient honteuses, mais je veux essayer…

Son sourire rappelait celui d'un coureur exalté d'avoir franchi la ligne d'arrivée, et ce, même si notre course à obstacles ne faisait que commencer. Peu importe ce qui nous attendait, nous le ferions ensemble.

— On va tellement être les plus *cute* chum et blonde à distance !

— En attendant, on devrait essayer d'être les plus *cute* amoureux de la Gaspésie.

Pour la première fois, j'avais désigné un garçon avec l'un des plus beaux mots de la langue française : amoureux.

: :

Le lendemain, je me suis réveillée avec une énergie folle. J'ai déjeuné en chantant, je me suis habillée en vitesse et j'ai traversé chez les Leclair. Je craignais de les déranger en retournant si rapidement chez eux après deux semaines de colocation, mais c'était plus fort que moi. Je devais les remercier de m'avoir accueillie.

— Salut vous deux ! dis-je à Paul et Maude assis à table. Est-ce qu'Émile est dans sa chambre ?

Au même moment, je les ai vus cacher des papiers.

— Non, répondit la *mamma*. Il est parti tantôt pour une petite marche… avec son appareil photo.

— Oh ! m'exclamai-je, les yeux brillants. C'est bon signe, ça. Pis vous autres, qu'est-ce que vous manigancez ?

Paul avait un visage ratoureux.

— Riennnn, dit-il en sachant qu'il mentait très mal.

— Vous pouvez me le dire, si vous préparez mes documents d'adoption. Je m'objecterai pas.

— Je pensais que les choses s'étaient replacées, rétorqua Maude en fronçant les sourcils.

— Oui, oui. Mais, tsé, on va sûrement s'engueuler d'ici dix jours…

Le détachement avec lequel j'avais verbalisé cette réponse me surprenait moi-même.

— Ton optimisme est émouvant, ma chouette.

L'ironie de Paul ne détournait nullement mon attention.

— Arrêtez vos cachotteries, là ! Qu'est-ce que vous faisiez avant que j'arrive ?

Ils se sont regardés, complices.

— On voulait te faire une surprise, répondit Maude.

— On prépare les invitations pour mon exposition, renchérit Paul. J'aimerais ça que tu viennes avec nous !

Je me sentais déjà privilégiée d'avoir participé au projet de mon presque-papa-d'adoption, mais jamais je n'aurais cru vivre une telle expérience.

— On partirait tous les trois, durant le congé à la fin mai, précisa Maude.

— Émile, lui ? demandai-je.

Un voile de déception s'est déposé devant les yeux de son père.

— J'ai tout essayé pour le convaincre, mais il viendra pas...

J'étais triste pour eux, mais je m'étais réveillée en me promettant de m'éloigner du négatif et de voir le bon côté des choses. Émile prendrait le temps nécessaire pour retrouver son élan. Il assisterait aux dizaines d'expositions que son père organiserait dans le futur. Et j'aurais la chance de découvrir Montréal avec deux des humains que j'aimais le plus.

— Vous êtes certains que vous voulez pas profiter de la fin de semaine en amoureux ?

— Certains, répondit Paul. On a hâte de partir avec toi.

— En fait, relança Maude, on s'ennuyait déjà...

Le cœur liquéfié, je leur ai donné un long câlin. Je me suis servi un deuxième déjeuner comme si je n'étais jamais partie, en imaginant notre voyage dans ma tête. J'ai pensé demander congé à la fruiterie, souri en pensant que mes économies financeraient mes nombreux séjours dans la métropole, l'année prochaine, et pardonné à mes parents de m'avoir obligée à travailler.

Ils ne peuvent pas toujours être des parents de deuxième catégorie...

Je n'étais pas convaincue que mon boulot m'aidait à prendre mes responsabilités, comme ils l'espéraient. Je ne me sentais pas exactement plus mature. Je ne savais toujours pas ce que j'allais faire de ma vie. Mais, pour une fois, j'ai décidé d'être « seulement » l'amie d'Émile, la blonde d'Alexis, la fille par procuration de Paul et Maude, la sœur de Jonathan et de Jérémie, ainsi que la fille biologique de Ghislain et Suzanne.

Faut-il réellement plus que ça ?

À suivre dans *Lilie, Tome 3 - L'apprentie adulte.*

REMERCIEMENTS

Merci aux lecteurs adolescents qui m'expriment avec une intensité in-com-pa-ra-ble leur amour pour Lilie, ce qui les fait rire, pleurer, sourire, ce qui les met en colère et à quel point ils s'identifient à mes personnages.

Merci aux lecteurs adultes qui ne s'arrêtent pas à la catégorie « littérature jeunesse » et qui m'écrivent avec une fébrilité touchante leurs impressions.

Merci à mon éditrice Anne-Marie Villeneuve et à toute l'équipe des Éditions Druide de savoir accueillir mon imaginaire, ma sensibilité, ma folie et mes opinions, en les propulsant toujours plus haut.

Merci aux organisateurs des événements littéraires à travers le Québec et le Canada de m'avoir adopté parmi vos fidèles invités. Grâce à vous, je rejoins de plus en plus de lecteurs, je rencontre des humains inoubliables, je découvre du pays et je vis des expériences hallucinantes !

SAMUEL LAROCHELLE

Grâce aux médias et aux messages que je reçois depuis la parution du tome 1, j'ai réalisé que j'avais plusieurs responsabilités en écrivant la suite des histoires de Lilie. Celle de continuer à ne jamais regarder les adolescents de haut. Celle de porter fièrement cette série campée dans une région excentrée, un fait rare dans la littérature jeunesse québécoise. Celle de laisser mes personnages être des humains en apprentissage, merveilleusement imparfaits et ô combien attachants. Celle d'écrire des romans dans lesquels légèreté, humour et punch peuvent être accompagnés d'une réelle profondeur. Celle de parler sans détour de sujets difficiles (anxiété, besoin de performance, orientation sexuelle, relations parentales complexes). Et celle d'imaginer Lilie, Émile, Alexis, Maude, Paul, Jonathan, Jérémie, Ghislain, Suzanne et tous les autres comme des personnes qui existent tellement fort dans ma tête qu'elles vibrent entre les mots qui défilent sous vos yeux.

Samuelarochelle
@SamuelLarochel
samuel_larochelle

ACHEVÉ D'IMPRIMER EN OCTOBRE 2018
SUR LES PRESSES DE MARQUIS IMPRIMEUR,
QUÉBEC (CANADA).